世界がわかる
国旗じてん

成美堂出版

世界がわかる国旗じてん もくじ

地図でひく国旗さくいん

- 世界全図 　　　　　　　　　　　　　4・5
- アジア 　　　　　　　　　　　　　　6・7
- ヨーロッパ 　　　　　　　　　　　　8・9
- アフリカ 　　　　　　　　　　　　10・11
- オセアニア 　　　　　　　　　　　12・13
- 北アメリカ 　　　　　　　　　　　14・15
- 南アメリカ 　　　　　　　　　　　16・17

国旗と国のようす

- ア～オ 　　　　　　　　　　　　　18～35
- カ～コ 　　　　　　　　　　　　　36～52
- サ～ソ 　　　　　　　　　　　　　53～67
- タ～ト 　　　　　　　　　　　　　68～77
- ナ～ノ 　　　　　　　　　　　　　78～82
- ハ～ホ 　　　　　　　　　　　　83～101
- マ～モ 　　　　　　　　　　　102～111
- ヨ 　　　　　　　　　　　　　　　　112
- ラ～ロ 　　　　　　　　　　　112～118

コラム 国旗のしくみ

- ほんとはいろいろなかたち 　　　　　52
- パターンがある国旗の図形 　　　　　67
- 色には大きな意味がある 　　　　　　77
- おもいをこめたシンボル 　　　　　　101
- おもな国際組織の旗 　　　　　　　　118

コラム 国ぐにのようす

- 世界地図でみる言葉と宗教 　　　　　119
- スポーツに登場する「地域」 　　120・121
- 国ぐにの独立の歴史 　　　　　　122・123

さくいん

- 国の略号さくいん 　　　　　　　124・125
- 地域別国名さくいん 　　　　　　126・127

この本の使い方

地図からさがす

地域別の地図上に国名と国旗、紹介ページをのせています。地域の分けかたは世界全図（4・5ページ）に色分けしています。

この本の国旗について

タテとヨコの比率を、2：3に統一して、同じ大きさでのせています。
紹介している国旗は、2022年1月現在、日本が承認している国195カ国と北朝鮮、日本の**197カ国**です。

国の略号について

アルファベットであらわされた略号。オリンピックなど国際的な大会などで使われ、いくつかの種類があります。この本ではオリンピックで使用しているIOC（国際オリンピック委員会）の略号をおもに使用し、IOCに加盟していない国はISO（国際標準化機構）の略号を使っています。

※ISOの略号を使っているのは、バチカン市国とニウエ。

国の名前からさがす

国旗は国名のアイウエオ順にならんでいます。国名の最初の文字をページのはしにつけています。
また、巻末の126・127ページに、「**地域別国名さくいん**」をのせています。

国の名前について
国の名前は、通称を使用しています。アメリカ合衆国はアメリカ、中華人民共和国は中国などと表記しています。また、国の正式名称は右上の「国名と英名」にのせています。

国の地域と日本からの距離
国のある地域（大陸）と、その国への日本からの距離をのせています。距離は、東京とそれぞれの首都の間を計算しています。

国の地図
その国の範囲は赤色でしめし、首都と周辺の国ぐにをのせています。

国の略号からもさがせる
略号をアルファベット順にならべたさくいんが124・125ページにあります。

国旗をしらべる
それぞれの国旗にこめられている意味やできかたを紹介しています。

国のようすをしらべる
右上には、日本の外務省で使っている正式名称の「国名」と、国際連合での「英名」、「首都」、国の「面積」と「人口」をのせています。
国旗の下には、「国名略号」と、国で使われている公用語などの「言語」と「通貨」をのせています。「日本への輸出品」では、貿易で取り引きされているおもな品物を、「国のようす」では、国の成りたちや気候風土、おもな産業、人びとのくらしなど、その国の特徴をまとめています。

資料出典
国旗：各国のHP（ホームページ）など（2022年1月現在）／国の正式名称、首都、言語（公用語）、通貨：日本国外務省HP（2022年1月現在）／国の英名：国際連合での名称など／国の面積：国連資料（2020年）／国の人口：国連資料（2020年）／日本への輸出品：財務省「貿易統計」（2021年）

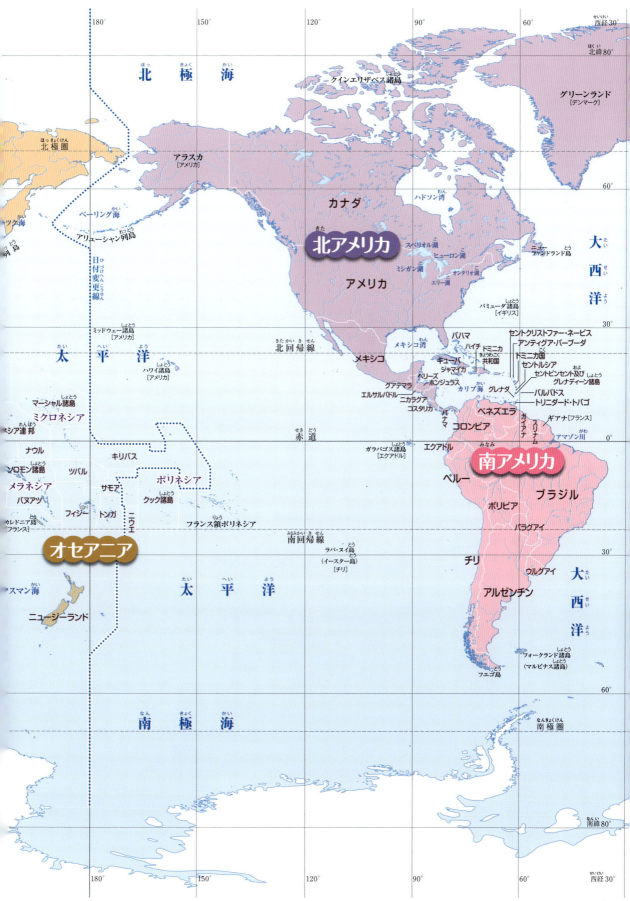

ヨーロッパ

西は大西洋に面し、南は地中海をはさんでアフリカと向き合い、東はウラル山脈を境にアジアへ続く。大西洋を流れる暖流の影響で、高緯度にもかかわらず比較的温暖で、人口密度が高い。古代ギリシャ・ローマの時代から経済的・文化的に発達し、大航海時代には世界各地に進出。いち早く産業革命を成しとげて世界の先進地域となった。

イギリスやフランスなどの列強諸国は、アジアやアフリカなどの広大な地域を植民地として支配した。そして、列強諸国の対立は第一次世界大戦と第二次世界大戦を引きおこし、たくさんの犠牲者を出した。

第二次世界大戦後はアメリカの影響をうけた西ヨーロッパと、ソ連の影響をうけた東ヨーロッパにわかれ、東西冷戦とよばれるきびしい対立が続いた。

冷戦が終わるとソ連が崩壊し、ヨーロッパの多くの国がEU（ヨーロッパ連合）として統合された。現在のEUは世界の政治・経済の重要な存在となっているが、経済危機や難民などのむずかしい問題をかかえている。

アフリカ

アフリカ大陸の北部は乾燥気候で、世界最大のサハラ砂漠が広がる。中部は熱帯雨林や草原が広がる熱帯気候。南部にはナミブ砂漠やカラハリ砂漠が広がるほか、おだやかな温帯気候の地域もある。人類が誕生したところとされ、数かずの人類化石が発見されている。

地中海に面する北部は西アジアとともにイスラム教徒が多く、民族的・文化的にも西アジアと近い。これに対し、サハラ砂漠より南は黒人が圧倒的に多い。

一部の国を除き、19世紀以後にヨーロッパ諸国に植民地支配され、20世紀後半にようやく独立した。かつては奴隷貿易がおこなわれ、数千万人もの黒人が南北アメリカ大陸などへ奴隷として送られた。

こうしたこともあり、アフリカ諸国の多くは産業や経済の発展が遅れ、現在も貧しい発展途上国が多くなっている。国内に民族対立や宗教対立をかかえる国も多く、紛争により多くの犠牲者や難民が発生している。

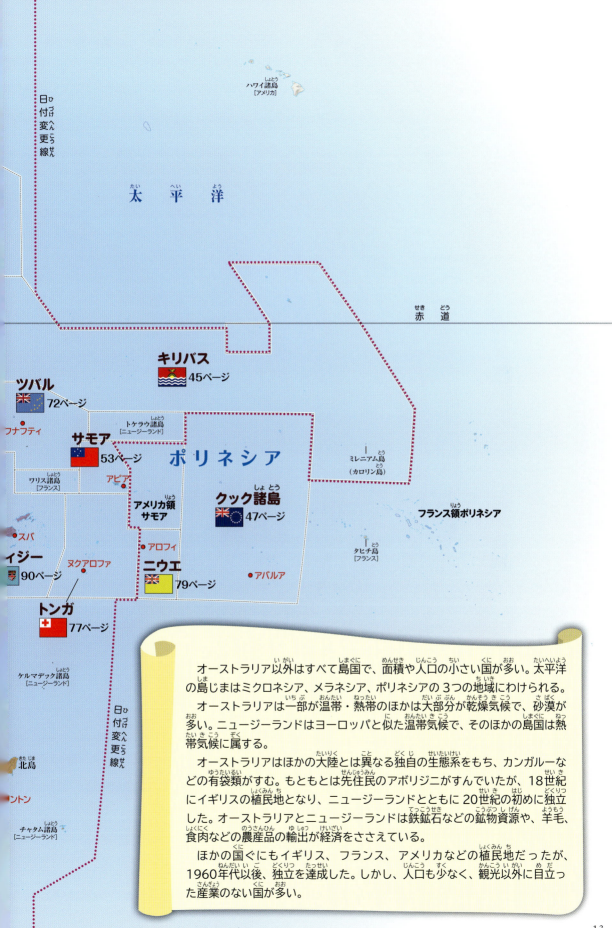

北アメリカ

北極海

ロシア

ベーリング海峡

アラスカ[アメリカ]

▲デナリ山

ロッキー山脈

太平洋

アリューシャン列島

カリフォルニア半島

ハワイ諸島[アメリカ]

メキシコ
107ペー

　北アメリカ大陸の北部など緯度の高い地域は、氷雪、ツンドラ、森林が広がり、気候は寒冷である。アメリカがある大陸の中部は温帯気候で、産業が発達し、人口も集中している。
　大陸の西部の太平洋沿いには、ロッキー山脈が南北に走り、その東側に広がる大平原は、世界有数の農業地帯になっている。
　大陸の南部とカリブ海周辺の西インド諸島は熱帯気候で、サトウキビやバナナなどのプランテーション農業がさかんにおこなわれてきた。
　先住民は数万年前の氷河時代にアジアから渡ってきた人びとだが、16世紀以後にヨーロッパから来た人びとによって征服された。メキシコでは先住民のアステカ帝国がさかえていたが、スペイン人によって滅ぼされた。
　18世紀にイギリスから独立したアメリカは急速に発展をとげ、世界最大の経済大国・軍事大国となった。第二次世界大戦後は超大国として世界をリードし続けている。

0　　　1000　　　2000km

南アメリカ

北アメリカ

赤道

ガラパゴス諸島
[エクアドル]

太平洋

南アメリカ大陸の西岸沿いには長大なアンデス山脈が南北に走り、5000～6000m級の高山が連なる。北部から中部にかけては熱帯気候で、アマゾン川流域にはセルバとよばれる世界最大の熱帯雨林が広がっているが、アンデス山脈の高原や盆地は気候が温和なため、人口密度も高くなっている。南部は温帯気候で、平野部にはパンパとよばれる草原が広がり、牧畜をはじめとする農業がさかん。大陸の南端に近いパタゴニアは緯度が高いため寒冷で、人口も少ない。

アンデス山脈には先住民のインカ帝国がさかえていたが、16世紀にスペイン人によって滅ぼされた。南アメリカはほとんどがスペインとポルトガルの植民地となり、19世紀に独立した。独立した南アメリカ諸国ではコーヒーや食肉などの農産物、原油や鉄鉱石などの地下資源の輸出が経済を支えてきたが、貧富の格差が非常に大きく、国内対立の原因となっている。

アイスランド

火山活動がさかんで、氷河が広がる北極圏にいちばん近い国

国旗の意味
横長の十字はスカンジナビア十字とよばれ、北欧諸国の国旗に共通のシンボル。赤は火山、白は氷河、青は海をあらわす。

ヨーロッパ
日本からの距離
8790km

国名と英名
アイスランド共和国
Iceland

首都
レイキャビク

面積
10万3000km²
北海道の1.2倍くらい

人口
34万人

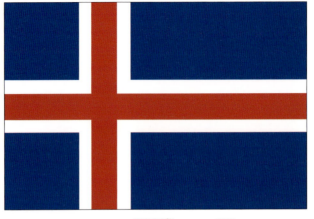

シシャモ
南からの海流が海を豊かにしている。

アイスランドは溶岩でできた島。

国名略号‥‥‥‥‥ISL
言　語‥‥‥‥‥アイスランド語
通　貨‥‥‥‥‥アイスランドクローナ
日本への輸出品‥‥シシャモ、シリコン鋼、魚の切り身
国のようす‥‥‥‥世界最北の首都をもつ。火山や温泉が多く、地熱発電がさかん。また、海外との証券取引や投資などをおこなう金融業が、経済活動の中心となっている。

アイルランド

イギリスの西にあり西方の地「エール」とよばれている島

国旗の意味
緑はケルト系住民が信仰するキリスト教カトリック、オレンジはプロテスタントをあらわし、白は両者の調和と協調をしめす。

ヨーロッパ
日本からの距離
9610km

国名と英名
アイルランド
Ireland

首都
ダブリン

面積
7万km²
北海道の8割くらい

人口
494万人

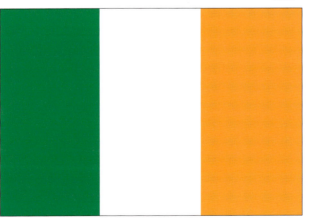

製薬、情報通信技術産業の発展がめざましい。

クライスト・チャーチ大聖堂

国名略号‥‥‥‥‥IRL
言　語‥‥‥‥‥アイルランド語、英語
通　貨‥‥‥‥‥ユーロ
日本への輸出品‥‥医薬品、コンタクトレンズ、医療用機器
国のようす‥‥‥‥紀元前から、大陸のケルト民族が移り住み、のちにカトリックの教えが広まった。17世紀からイギリス（プロテスタント）に支配されたが、長く続いた闘争の末、20世紀に独立した。

アゼルバイジャン

アジアとヨーロッパをわけるカフカス山脈と、カスピ海からの恵みをうける

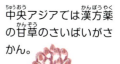

アジア
日本からの距離
7540km

国名と英名
アゼルバイジャン共和国
Azerbaijan

首都
バクー

面積
8万7000km²
北海道と同じくらい

人口
1014万人

国旗の意味
青はトルコ系民族であるアゼルバイジャン人を、赤はかたい決意を、緑と三日月はイスラム教をあらわしている。八角の星は国内8つの民族の象徴。

中央アジアでは漢方薬の甘草のさいばいがさかん。

バクー油田
石油の産出が国の経済をささえる。

国名略号……AZE
言語……アゼルバイジャン語
通貨……マナト
日本への輸出品……アルミニウム合金、ワイン
国のようす……乾燥した気候だが、カフカス山脈からの河川が国土をうるおしている。塩湖である面積世界一の湖カスピ海では、イワシのなかまやチョウザメなどがとれ、石油が産出されている。

アフガニスタン

「山の民の地」の意味をもつアフガニスタンは大国に支配される歴史をくり返してきた

アジア
日本からの距離
6280km

国名と英名
アフガニスタン・イスラム共和国
Afghanistan

首都
カブール

面積
65万3000km²
日本の1.7倍くらい

人口
3893万人

国旗の意味
黒は外国から侵略されていた過去、赤は流された血、緑は独立と平和、そしてイスラム教をあらわす。麦の穂にかこまれたイスラム教寺院と、コーランの聖句などがアラビア文字で書かれている。

2021年、**イスラム主義勢力タリバン**が暫定政権の樹立を宣言

国の大半をヒンドゥー・クシ山脈がしめる。

国名略号……AFG
言語……ダリー語、パシュトゥー語など
通貨……アフガニー
日本への輸出品……毛織じゅうたん、干しぶどう、エメラルドなど
国のようす……国土の多くが乾燥した冷涼な山地で、山間に数多くの部族がくらす。昔から西アジアや南アジア、ヨーロッパなどの強国に支配されてきたが、それらと戦いながら独立をつかんだ。

アメリカ

1776年の独立宣言にはじまり「自由」と「平等」をかかげた多民族国家

国旗の意味
赤白13本のストライプはイギリスから独立した当時の州の数を、星の数は現在の州の数（50州）をあらわす。

北アメリカ
日本からの距離
1万930km

国名と英名
アメリカ合衆国
United States of America

首都
ワシントンD.C.

面積
962万8000km²
日本の25倍くらい

人口
3億3100万人

自由の女神

メジャーリーグ

- 国名略号……USA
- 言　　語……英語
- 通　　貨……アメリカ・ドル
- 日本への輸出品……プロパン、天然ガス、医薬品、トウモロコシ
- 国のようす……広大な国土に、50の州と首都地区（コロンビア特別区）をもつ連邦国家。世界最大の農業国、工業国で、政治・経済・軍事・文化など多くの分野で世界的な影響力が大きい。

アラブ首長国連邦

アブダビ、ドバイ、シャルジャなど7つの首長国からなる連邦国家

国旗の意味
7つの首長国の国旗の色をすべて含んでいる。緑は豊かな国土、白は清浄と平和、黒は過去の圧制や戦争、赤は聖戦で流された血をあらわす。黒は石油資源をあらわすともいわれる。

日本からの距離
8070km
アジア

国名と英名
アラブ首長国連邦
United Arab Emirates

首都
アブダビ

面積
7万1000km²
北海道と同じくらい

人口
989万人

クーフィーヤ（ゴトラ）
アラビア半島の国ぐにで男性がかぶる装身具。

ブルジュ・ハリファ

- 国名略号……UAE
- 言　　語……アラビア語
- 通　　貨……ディルハム
- 日本への輸出品……石油、石油製品、天然ガス
- 国のようす……国土のほとんどは砂漠だが石油資源が豊富。最大の輸出先は日本。近年は産業の多様化をめざし、金融や流通、リゾート開発に力を入れている。

アルジェリア

サハラ砂漠が国土の大半をしめ
国民のほとんどが地中海沿岸にくらす

アフリカ
日本からの距離
1万820km

国名と英名
アルジェリア民主人民共和国
Algeria

首都
アルジェ

面積
238万2000km²
日本の6倍くらい

人口
4385万人

国旗の意味
三日月と星はイスラムのシンボル。緑は繁栄、白は平和、赤は改革で流された血の色をあらわす。

国土の約84%が砂漠地帯。

タッシリ・ナジェール岩絵
8000年前からの岩絵が2万点以上ものこる。

国名略号………ALG
言　　語………アラビア語、ベルベル語、フランス語
通　　貨………アルジェリアン・ディナール
日本への輸出品…石油製品、石油
国のようす………アフリカ大陸で最大面積の国。フランス植民地時代はブドウやオレンジの農業がさかんだったが、1962年の独立以降は石油・天然ガスをもとに重化学工業化を進めている。

アルゼンチン

豊かな草原地帯パンパが広がる
穀物の一大産地

南アメリカ
日本からの距離
1万8370km

国名と英名
アルゼンチン共和国
Argentina

首都
ブエノスアイレス

面積
279万6000km²
日本の7倍くらい

人口
4520万人

国旗の意味
独立戦争革命軍の帽章の色に由来し、上下の青は空と海の色、白は平和をあらわす。中央の太陽は「5月の太陽」とよばれ、スペインからの独立を記念するシンボル。

アルゼンチンタンゴ
バンドネオンの演奏でおどる情熱的なダンス。

伝統的な牧童ガウチョの精神は今も残る。

国名略号………ARG
言　　語………スペイン語
通　　貨………ペソ
日本への輸出品…トウモロコシ、エビ、大豆、アルミニウム
国のようす………ヨーロッパ移民の影響が色濃く、首都ブエノスアイレスは「南アメリカのパリ」とよばれる。牛肉、大豆、小麦など世界有数の農牧大国。サッカーがさかんで世界的な選手も多い。

アルバニア

1990年まで鎖国していた、アドリア海に面する山地が多い国

国旗の意味

双頭のワシは、中世の英雄スカンデルベクの紋章にちなんだもの。ヨーロッパとアジアの双方をにらみ、この国が東洋と西洋の中間にあることをしめす。

国名は「白い土地」を意味する。山々は石灰岩でできている。

ヨーロッパ	
日本からの距離 9510km	

国名と英名 アルバニア共和国 Albania
首都 ティラナ
面積 2万9000km² 九州の8割くらい
人口 288万人

フスタネーラ
バルカン半島の男性用民族衣装。

- 国名略号……ALB
- 言　　語……アルバニア語
- 通　　貨……レク
- 日本への輸出品……クロム鉄鉱、カタクチイワシ
- 国のようす……農業と牧畜が中心。1912年にトルコから独立し、王国、社会主義国などをへて現在は共和国。1970年代から1990年まで、世界の国ぐにと国交を断絶した鎖国状態にあった。

アルメニア

4世紀に世界ではじめてキリスト教を国教とした

国旗の意味

赤は独立のために流された尊い血を、青は豊かな自然と空を、オレンジは国民の勇気と団結、同時に小麦と神の恵みをあらわす。

アジア
日本からの距離 7950km

国名と英名 アルメニア共和国 Armenia
首都 エレバン
面積 3万km² 九州の8割くらい
人口 296万人

伝統的なアルメニアンダンス。

エチミアジン修道院

- 国名略号……ARM
- 言　　語……アルメニア語
- 通　　貨……ドラム
- 日本への輸出品……コートなどの衣類、アルミニウム合金
- 国のようす……紀元前より古代アルメニア王国がさかえたが、トルコやロシアの支配が続き、国民の多くは世界各地に分散した。1991年に旧ソ連から独立。となりのアゼルバイジャンとは領土紛争が続いている。

アンゴラ

**独立以来長く続いていた内戦が終わり
鉱産資源をかてに成長**

アフリカ
日本からの距離
1万3850km

国名と英名
アンゴラ共和国
Angola
首都
ルアンダ
面積
124万7000km²
日本の3.3倍くらい
人口
3287万人

国旗の意味
赤は独立で流された血を、黒はアフリカ大陸を、黄色は豊かな資源をあらわす。また星は国民の団結と進歩、歯車は工業、ナタは農業の発展をあらわす。

アフリカ屈指のバスケットボールの強豪。

27年にわたる内戦が続いた。

国名略号……ANG
言　語……ポルトガル語、ウンブンドゥ語
通　貨……クワンザ
日本への輸出品……アルミニウム合金
国のようす……ポルトガルの植民地だったが1975年に独立。2002年の内戦終結以降、石油やダイヤモンドなどの豊富な資源を背景に急速な経済成長が続く。一方、貧富の格差など問題も生じている。

アンティグア・バーブーダ

**カリブ海東部にうかぶ
イギリス連邦に属する島国**

北アメリカ
日本からの距離
1万3740km

国名と英名
アンティグア・バーブーダ
Antigua and Barbuda
首都
セントジョンズ
面積
442km²
淡路島の7割くらい
人口
10万人

国旗の意味
黒はアフリカ系の、白はイギリス系の国民をあらわす。太陽は新時代の夜明け、青は希望、赤は独立と国民の力を、V字形は勝利を意味する。

ブラック・パイナップルが国のフルーツ。

美しいビーチが多い火山島。

国名略号……ANT
言　語……英語
通　貨……東カリブ・ドル
日本への輸出品……電気機器部品
国のようす……アンティグア、バーブーダ、レドンダの3島からなる。スペイン、フランス、イギリスの植民地支配をへて、1981年に独立。経済は砂糖栽培にささえられてきたが、現在は観光が主要産業。

アンドラ

スペインとフランスが共同君主だったピレネー山脈の国

国旗の意味

フランス国旗の青、スペイン国旗の黄、両国共通の赤を組みあわせた。中央の国章は、フランスとスペインの共同元首や地域にちなんだもの。

ヨーロッパ
日本からの距離
1万360km

国名と英名
アンドラ公国
Andorra

首都
アンドラ・ラ・ベリャ

面積
468km²
淡路島の8割くらい

人口
8万人

観光客めあての格安の宝石店などがならぶ。

ピレネー山中の谷沿いに町が点在する。

国名略号 …………… AND
言　　語 …………… カタルニア語、スペイン語、ポルトガル語、フランス語
通　　貨 …………… ユーロ
日本への輸出品 …… ポンプ
国のようす ………… フランスとスペインの国境、ピレネー山脈中にある国。13世紀末から700年以上の間、フランスとスペインの共同統治領だったが、1993年に独立。観光が主産業。

イエメン

南北にわかれていた国が統合したが反政府武装組織との内戦が続く

国旗の意味

赤・白・黒はイスラム・アラブを象徴した配色。赤は独立のために流された血、白は輝かしい未来、黒は植民地時代の暗黒をあらわす。

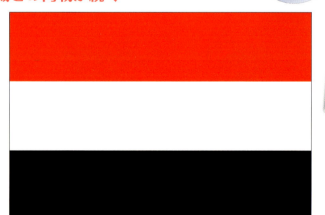

アジア
日本からの距離
9510km

国名と英名
イエメン共和国
Yemen

首都
サヌア

面積
52万8000km²
日本の1.4倍くらい

人口
2983万人

ソコトラ島の竜血樹
染料や薬の材料がとれる。

シバーム旧城壁都市

国名略号 …………… YEM
言　　語 …………… アラビア語
通　　貨 …………… イエメン・リアル
日本への輸出品 …… コーヒー、肝油
国のようす ………… 1990年に北イエメンと南イエメンが統一されて成立。しかし旧南北代表の対立がおさまらず内戦に突入した。2000万人以上の国民が支援を必要としている。

イギリス

**世界ではじめての産業革命を成しとげ
19世紀には世界に大帝国をきずいた**

ヨーロッパ
日本からの距離
9580km

国名と英名
グレート・ブリテン及び
北アイルランド連合王国
United Kingdom of Great
Britain and Northern Ireland

首都
ロンドン

面積
24万3000km²
日本の6割くらい

人口
6789万人

国旗の意味
イングランドの聖ジョージ、スコットランドの聖アンドリュー、アイルランドの聖パトリックの3聖人の十字を組み合わせた。ユニオン・ジャックともよばれる。

イギリス王室の近衛兵

ウェストミンスター宮殿
今は国会議事堂として使われている。

- 国名略号……GBR
- 言語……英語
- 通貨……スターリング・ポンド
- 日本への輸出品……自動車、ウイスキー、医薬品
- 国のようす……イングランド、スコットランド、ウェールズ、北アイルランドの4つの国からなり、日本の外務省では英国ともよぶ。産業革命でいち早く発展し、現在は世界の金融の中心になっている。

イスラエル

**地中海東岸にあるユダヤ人の国。
近年は電子ベンチャー産業もさかん**

アジア
日本からの距離
9170km

国名と英名
イスラエル国
Israel

首都
エルサレム
（国際的な承認はえていない）

面積
2万2000km²
九州の6割くらい

人口
866万人

国旗の意味
白は清らかな心、上下の青い帯は、ユダヤ教の指導者が身につける肩かけのタリートをあらわす。中央の星は「ダビデの星」とよばれるユダヤ人のシンボル。

ユダヤ教の指導者は「ラビ」とよばれる。

エルサレムにあるイスラム教の聖地「岩のドーム」。

- 国名略号……ISR
- 言語……ヘブライ語、アラビア語
- 通貨……新シェケル
- 日本への輸出品……半導体検査機器、医療用機器、ダイヤモンド
- 国のようす……シオニズム（故郷を回復する運動）によって世界各地に離散したユダヤ人が移住し、1948年にユダヤ人の国として建国を宣言。しかし周辺のアラブ諸国と、領土をめぐって衝突をくり返している。

イタリア

古代遺跡から現代アートまで多彩な文化をほこる

ヨーロッパ
日本からの距離
9880km

国名と英名
イタリア共和国
Italy

首都
ローマ

面積
30万2000km²
日本の8割くらい

人口
6046万人

国旗の意味

フランスの三色旗を参考につくられた。緑は美しい国土を、白はアルプスの雪を、赤は愛国の情熱をあらわす。

ローマ帝国時代の円形闘技場コロッセオ。

イタリア料理といえばパスタやピザ。

国名略号……ITA
言　　語……イタリア語
通　　貨……ユーロ
日本への輸出品……タバコ類、医薬品、自動車
国のようす……イタリア半島を中心にシチリア島、サルデーニャ島など約70の島をもつ。北部を中心に繊維、化学、自動車など工業が発達。南部ではオリーブなどの農業がさかん。南北で経済格差が大きい。

イラク

メソポタミア文明がさかえた地。今はたくさんの石油を産出する

アジア
日本からの距離
8360km

国名と英名
イラク共和国
Iraq

首都
バグダッド

面積
43万5000km²
日本の1.2倍くらい

人口
4022万人

国旗の意味

赤は勇気、白は寛容、黒はイスラムの伝統と栄光をあらわす。イスラムの緑で、アラビア語の「神は偉大なり」という文字が書かれている。

ナツメヤシ

イラク戦争で独裁政権は倒れた。

国名略号……IRQ
言　　語……アラビア語、クルド語
通　　貨……イラク・ディナール
日本への輸出品……石油
国のようす……独裁政権が続いていたが、2003年のイラク戦争で崩壊。世界的な支援による国家再建が進められている。メソポタミア文明の時代から灌漑農業でさかえ、現在は石油関連が主産業。

イラン

**イスラム教シーア派のリーダー的な国家。
かつてはペルシャ帝国がさかえた**

国旗の意味

緑はイスラム教、白は平和、赤は憲法をあらわし、帯の境界には「アラーは偉大なり」と22回記されている。中央には、サーベルと4つの三日月を組みあわせた国章がある。

アジア
日本からの距離
7680km

国名と英名
イラン・イスラム共和国
Iran
首都
テヘラン
面積
162万9000km²
日本の4.3倍くらい
人口
8399万人

ザクロの原産地で有名。

エスファハンの
イマーム広場

国名略号……IRI
言 語……ペルシャ語、トルコ語、クルド語
通 貨……リアル
日本への輸出品……じゅうたん、ピスタチオ、クミン
国のようす……古代にはペルシャ帝国がさかえた。王制が2500年以上続いたが、1979年にイラン革命がおこり、イスラム教シーア派の指導者が国を治めるイスラム共和国となった。世界有数の産油国。

インド

**人口世界第2位の国は
多民族、多言語、多宗教の社会**

国旗の意味

サフラン（オレンジ）色はヒンドゥー教、緑はイスラム教、白は両宗教の和解をあらわし、中央には仏教のシンボルのチャクラ（法輪）がある。

アジア
日本からの距離
5850km

国名と英名
インド
India
首都
デリー（ニュー・デリー）
面積
328万7000km²
日本の9倍くらい
人口
13億8000万人

ムガール帝国時代につくられたタージ・マハル。

南アジアの女性の
民族衣装、サリー。

国名略号……IND
言 語……ヒンディー語ほか憲法公認語が21
通 貨……ルピー
日本への輸出品……石油製品、ダイヤモンド、エビ、電話機
国のようす……インダス文明を起源とし、のちに仏教、ヒンドゥー教などを生んだ。18世紀以降、イギリスによる植民地支配が続いたが、1947年に独立。近年はIT産業が発達し、高い経済成長を続けている。

インドネシア

**熱帯に広がる大小数えきれないほどの島じま。
人口は世界4位でイスラム教徒が多い**

日本からの距離 5770km
アジア

国名と英名
インドネシア共和国
Indonesia

首都
ジャカルタ

面積
191万1000㎢
日本の5倍くらい

人口
2億7352万人

国旗の意味
赤は勇気を、白は潔白をあらわす。赤と白は伝統的な国民色で、ヒンドゥー教のビシュヌ神や、太陽と月などを意味するともいわれる。

オランウータン
スマトラ島、カリマンタン島にすむ。

ワヤン・クリとよばれる影絵芝居。

- 国名略号 …… INA
- 言 語 …… インドネシア語
- 通 貨 …… ルピア
- 日本への輸出品 …… 天然ガス、石炭、銅鉱石、ニッケル
- 国のようす …… 17世紀にオランダの植民地となり、1949年に独立。首都のあるジャワ島に人口が集中している。米を中心とした農業がさかんで、石油や天然ガスなどの資源も豊富。

ウガンダ

**ヴィクトリア湖の恵みをうけた
緑豊かな高原地帯**

アフリカ
日本からの距離 1万1530km

国名と英名
ウガンダ共和国
Uganda

首都
カンパラ

面積
24万2000㎢
日本の6割くらい

人口
4574万人

国旗の意味
黒はアフリカ人を、黄色は夜明けの太陽を、赤は同胞愛をあらわす。中央の鳥は、ウガンダの国鳥のカンムリヅル。

高地に生えるキク科の植物、ジャイアントセネシオ。

ナイルパーチ
ヴィクトリア湖でとれる巨大魚。

- 国名略号 …… UGA
- 言 語 …… 英語、スワヒリ語、ルガンダ語
- 通 貨 …… ウガンダ・シリング
- 日本への輸出品 …… コーヒー、白金、鉱石
- 国のようす …… コーヒーや綿花などを産出する。19世紀にブガンダ王国がさかえたが、イギリスの保護領となり、1962年に独立。1971年のクーデター以降、独裁政治が続き、内政や経済が混乱した。

ウクライナ

肥沃な大地はヨーロッパの穀倉地帯。
1986年、チェルノブイリ原発事故がおきた

ヨーロッパ
日本からの距離
8220km

国名と英名
ウクライナ
Ukraine
首都
キエフ
面積
60万4000km²
日本の1.6倍くらい
人口
4373万人

国旗の意味
「独立ウクライナの旗」とよばれ、青は空を、黄色は豊かに実る小麦をあらわす。また、青は水を、黄色は火を意味するともいわれる。

ヒマワリも重要な農作物。

コサックダンス
コサックとよばれた民族集団のおどり。

国名略号………UKR
言　語………ウクライナ語、ロシア語
通　貨………フリヴニャ
日本への輸出品……紙巻タバコ、鉄鉱、ヒマワリ油
国のようす………9世紀にキエフ大公国がさかえ、古くから穀倉地帯として知られる。モンゴル、ポーランドなどの支配ののち、ソビエト連邦に加わる。チェルノブイリ原子力発電所事故がおきた。1991年に独立。

ウズベキスタン

昔からアジアとヨーロッパをつなぐ道が通る。
砂漠の都市で東西の文化が行きかった

アジア
日本からの距離
6000km

国名と英名
ウズベキスタン共和国
Uzbekistan
首都
タシケント
面積
44万9000km²
日本の1.2倍くらい
人口
3347万人

国旗の意味
青は空を、白は清浄な国土を、緑は豊かな農業を、境界の赤は生命力をあらわす。三日月と星はイスラムの象徴で、12の星は国を構成する12州をしめす。

綿花栽培がさかん。

古都サマルカンドのレギスタン広場。

国名略号………UZB
言　語………ウズベク語
通　貨………スム
日本への輸出品……化学肥料、緑豆、アルミニウム合金、綿織物
国のようす………1991年に独立。砂漠が広がり、南東部の山すそやアムダリヤ川沿いに、古くからの都市が発達する。灌漑農業のために、下流のアラル海が干上がってしまい、環境問題になっている。

ウルグアイ

豊かな草原地帯で、牧畜を主体に堅実な国づくりを続ける

南アメリカ 日本からの距離 1万8580km

国名と英名
ウルグアイ東方共和国
Uruguay

首都
モンテビデオ

面積
17万4000km²
日本の半分くらい

人口
347万人

国旗の意味
青は自由、白は平和をあらわし、9本のストライプは独立時の9地方を意味する。太陽は先住民の独立のシンボルである「5月の太陽」。

アサードとよばれる焼肉料理。

大規模な牧場をエスタンシアという。

国名略号……URU
言　語……スペイン語
通　貨……ペソ
日本への輸出品……牛肉
国のようす……18世紀後半にスペイン領となり、ポルトガル、ブラジルの支配をへて、1825年に独立。福祉、教育が整備され、生活水準は安定している。第1回サッカーワールドカップの開催国で最初の優勝国。

エクアドル

インカ帝国からの古都キトを中核とした、スペイン語で「赤道」を意味する国

南アメリカ 日本からの距離 1万4450km

国名と英名
エクアドル共和国
Ecuador

首都
キト

面積
25万7000km²
日本の7割くらい

人口
1764万人

国旗の意味
黄色は太陽と富を、青は空と海を、赤は独立のために流された血をあらわす。紋章には、コンドル、チンボラソ火山、アマゾン川、商船、太陽などがえがかれている。

世界有数のバナナ輸出国。

ガラパゴスゾウガメ
ガラパゴス諸島は固有種が多い。

国名略号……ECU
言　語……スペイン語
通　貨……アメリカ・ドル
日本への輸出品……原油、バナナ、ブロッコリー
国のようす……インカ帝国から、スペインの支配をへて1830年に独立。内乱や国境紛争が続き、経済発展は遅れている。主産業は石油で、アンデス山脈の東側でとれる。農業はコーヒー、バナナの栽培がさかん。

エジプト

5000年の歴史をもつ地。
古代文明がさかえ、数多くの遺跡がのこる

国旗の意味

赤は革命で流された血を、白は平和と明るい未来を、黒は過去の暗黒の時代をあらわす。中央にはムハンマドゆかりのワシがえがかれ、アラビア語で国名が記されている。

アフリカ
日本からの距離
9580km

国名と英名
エジプト・アラブ共和国
Egypt

首都
カイロ

面積
100万2000km²
日本の2.7倍くらい

人口
1億233万人

ナイル川にうかぶ
帆かけ船ファルーカ。

ピラミッドと
スフィンクス

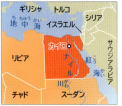

国名略号………EGY
言　　語………アラビア語、英語
通　　貨………エジプト・ポンド
日本への輸出品…天然ガス、石油製品、イチゴ
国のようす………1922年にイギリスから独立。1953年に王制を廃止。国土の大部分は砂漠だが、ナイル・デルタでは農業がさかん。2011年の民主化運動により長く続いた独裁政治が終わった。

エストニア

ラトビア、リトアニアとともにバルト三国と
よばれ、その中で最も経済が安定した国

国旗の意味

青は空・川・湖・海を、黒は大地を、白は雪と氷をあらわす。同時に青は希望と団結を、白は明るい未来を、黒は過去の悲しい歴史をあらわすともいわれる。

ヨーロッパ
日本からの距離
7900km

国名と英名
エストニア共和国
Estonia

首都
タリン

面積
4万5000km²
九州の1.2倍くらい

人口
133万人

ＩＴ立国。
ＴＶ電話「スカイプ」の
生まれた国。

首都タリンの
歴史地区

国名略号………EST
言　　語………エストニア語
通　　貨………ユーロ
日本への輸出品…石油製品、電話用機械、木工品
国のようす………ドイツ騎士団の移住にはじまり、ロシア帝国などの支配をへて、1918年に独立。旧ソ連の一員に。1991年に分離・独立。酪農や水産加工業がさかんで、ＩＴ産業の発展に力をそそいでいる。

エスワティニ

**王政が続くアフリカ南部の国。
国名は「スワジ人の土地」**

国旗の意味

上下の青は空と平和、黄色は鉱物資源と富、赤茶は自由のために流した血をあらわす。中央は国内にすむスワジ人の伝統的な盾と槍で、「独立を守るためには戦いぬく」という決意をしめす。

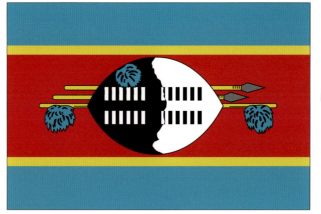

アフリカ
日本からの距離
1万3270km

国名と英名
エスワティニ王国
Eswatini

首都
ムババーネ

面積
1万7000km²
東京都の8倍くらい

人口
116万人

第8代国王
ムスワティ3世

サファリ・ツアーも体験できる。

国名略号……… SWZ
言　語……… 英語、スワティ語
通　貨……… リランゲーニ
日本への輸出品… オレンジなどかんきつ類
国のようす……… 19世紀にスワジ人の王国が成立。その後イギリスの保護領となり、1968年独立。王家の権力が強いといわれている。2018年に国名をそれまでの「スワジランド」から変更した。

エチオピア

**コーヒーの原産地として知られる
アフリカ最古の独立国**

国旗の意味

緑は豊かな実りを、黄色は天然資源を、赤は国民の勇気と血をあらわす。中央には「ソロモンの星」とよばれる国章がある。

アフリカ
日本からの距離
1万410km

国名と英名
エチオピア連邦民主共和国
Ethiopia

首都
アディスアベバ

面積
110万4000km²
日本の2.9倍くらい

人口
1億1496万人

コーヒーの実
カッファ州がコーヒーの語源といわれる。

アウストラロピテクスなど、初期人類化石が多く発見。

国名略号……… ETH
言　語……… アムハラ語、オロモ語、英語
通　貨……… ブル
日本への輸出品… コーヒー、花束用の葉、ゴマ
国のようす……… 紀元前10世紀ごろから王国が成立し「シバの女王の国」とよばれた。1974年、革命により王制が廃止され、1993年にエリトリアが分離・独立。経済基盤は農業で、コーヒー栽培や牧畜がさかん。

エリトリア

1993年にエチオピアの沿岸地方が分離・独立した新興国

国旗の意味
緑は農業資源を、青は海洋資源を、金色は鉱産資源を、赤は国のために流された血をあらわす。左よりの紋章は、オリーブの葉をえがいたもの。

アフリカ
日本からの距離 9970km

国名と英名	エリトリア国 Eritrea
首都	アスマラ
面積	12万1000km² 北海道の1.4倍くらい
人口	355万人

イタリア領時代に伝えられた皮革製品加工。

山岳地帯を走る自転車競技がさかん。

- 国名略号……ERI
- 言　　語……ティグリニャ語、アラビア語、諸民族語
- 通　　貨……ナクファ
- 日本への輸出品……とくになし
- 国のようす……トルコ、エジプトの支配をへて、1890年にイタリアの植民地となった。1962年にエチオピアに統合されてから、独立闘争が続き、1993年に独立。破壊された国土の再建を進める。

エルサルバドル

中央アメリカで最も小さく、最も人口密度の高い国

国旗の意味
青は空と海を、白は平和と調和をあらわす。中央アメリカ諸国のシンボル「自由の帽子」と火山や海などがえがかれ、まわりには国名を、帯には「神・団結・自由」と記されている。

北アメリカ
日本からの距離 1万2510km

国名と英名	エルサルバドル共和国 El Salvador
首都	サンサルバドル
面積	2万1000km² 九州の6割くらい
人口	649万人

中央アメリカ諸国では、出稼ぎ労働者からの送金が重要な収入。

イサルコ火山
国内には20以上の活火山がある。

- 国名略号……ESA
- 言　　語……スペイン語
- 通　　貨……アメリカ・ドル、ビットコイン
- 日本への輸出品……コーヒー
- 国のようす……1821年にスペインから独立し、1841年に共和国になったが、その後も内戦がくり返された。コーヒーと綿花の農業国。暗号資産のビットコインを世界で初めて法定通貨に指定した。

オーストラリア

ほかの大陸では見られない
固有の自然や歴史を伝える

国旗の意味

ユニオンジャックはイギリス連邦の一員であることをあらわす。7角の大きな星はオーストラリアの6州1準州を、5つの小さな星は南十字星をあらわす。

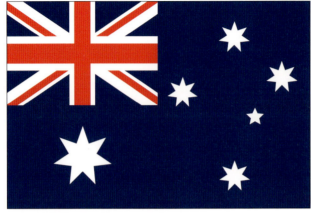

国名と英名
オーストラリア連邦
Australia

首都
キャンベラ

面積
769万2000km²
日本の20倍くらい

人口
2550万人

4万年以上前からの先住民、アボリジニの岩絵。

国名略号 …… AUS
言　語 …… 英語
通　貨 …… オーストラリア・ドル
日本への輸出品 …… 天然ガス、石炭、鉄鉱石
国のようす …… 1770年にクックがイギリス領を宣言し、1788年に植民地となった。1901年に独立。羊毛や牛肉、小麦がさかんな農牧業国だが、近年は豊富な地下資源で鉱工業国に変わりつつある。

コアラやカンガルーなどの有袋類が多い。

オーストリア

歴史ある都ウィーンと美しいアルプスに
多くの観光客が訪れる

国旗の意味

十字軍遠征で、当時のオーストリア大公の白の軍服が、ベルト部分を残して敵の返り血で赤く染まり、それを旗がわりにしたという伝説から。

国名と英名
オーストリア共和国
Austria

首都
ウィーン

面積
8万4000km²
北海道と同じくらい

人口
901万人

シェーンブルン宮殿
ハプスブルク家の離宮。

首都ウィーンは「音楽の都」ともよばれる。

国名略号 …… AUT
言　語 …… ドイツ語
通　貨 …… ユーロ
日本への輸出品 …… 自動車、家具、木材
国のようす …… 13世紀からハプスブルク家が支配し、大帝国をつくっていた。第一次世界大戦後、共和国となったが、ナチスドイツに併合される。1955年に独立を回復し、永世中立国となった。

オマーン

18世紀からブーサイード朝の王家が支配してきた君主国

アジア
日本からの距離 7760km

国名と英名
オマーン国
Oman

首都
マスカット

面積
31万km²
日本の8割くらい

人口
511万人

国旗の意味
赤は外敵からの国防を、白は平和を、緑は豊かな農作物をあらわす。伝統の短剣カンジャルと長剣を組みあわせた紋章は、スルタン（国王）の権威の象徴。

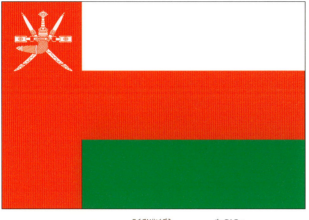

乳香
火をつけて、よい香りをかぐ。

サラーラ港は世界有数のコンテナ港。

国名略号……OMA
言語……アラビア語
通貨……オマーン・リアル
日本への輸出品…天然ガス、石油
国のようす……16世紀からポルトガルの支配が続いたが、18世紀以降ブーサイード王朝が統治する。古くから海運貿易でさかえ、1964年に石油を発見してからは、工業化が進んだ。

オランダ

海上貿易を中心に発展。チューリップや風車で知られる

ヨーロッパ
日本からの距離 9310km

国名と英名
オランダ王国
Netherlands

首都
アムステルダム

面積
4万2000km²
九州より少し広い

人口
1713万人

国旗の意味
赤は独立のために戦った国民の勇気を、白は神の祝福を願う信仰心を、青は祖国への忠誠心をあらわす。16世紀の独立戦争時の旗がもとになっており、世界初の三色旗といわれる。

干拓地の排水のためにつくられた風車。

チューリップの球根は重要な輸出品。

国名略号……NED
言語……オランダ語
通貨……ユーロ
日本への輸出品…半導体、肉類、チーズ
国のようす……国土の約4分の1は海面より低い。スペイン支配から脱した17世紀には、すでに世界の海上貿易でさかえていた。現在の最大の産業は金融・流通を中心としたサービス産業。

ガーナ

国をささえてきた金やカカオ。
近年では石油の産出が注目されている

国旗の意味

赤は独立の戦いで流された血を、黄は古代ガーナ帝国の富を、緑は農耕と森林をあらわす。中央の黒い星はアフリカの自由へのシンボル。かつては黄金海岸とよばれた。

アフリカ
日本からの距離
1万3820km

国名と英名
ガーナ共和国
Ghana
首都
アクラ
面積
23万9000km²
日本の6割くらい
人口
3107万人

ボンゴ
珍獣とされる、森にすむカモシカのなかま。

西アフリカの国ぐにではカカオのプランテーションがさかん。

国名略号……GHA
言語……英語ほか
通貨……ガーナセディ
日本への輸出品…カカオ豆、アルミニウム合金
国のようす……奴隷貿易が19世紀まで続いていた。1957年イギリスから独立。2010年から海底油田が採掘され、天然ガスの開発も進む。経済は成長しているが、インフレや格差問題が心配されている。

カーボベルデ

アフリカ大陸西端の
ベルデ岬の沖にうかぶ島じま

国旗の意味

青は大西洋、白は平和と安定、赤は国民の努力をあらわす。10個の星は大西洋にうかぶこの国を構成するおもな島をしめす。

アフリカ
日本からの距離
1万4130km

国名と英名
カーボベルデ共和国
Cabo Verde
首都
プライア
面積
4033km²
東京都の1.8倍くらい
人口
56万人

火山でできた島国。
雨が少ない気候。

新大陸アメリカへ向かう帆船の中継地だった。

国名略号……CPV
言語……ポルトガル語、クレオール語
通貨……カーボベルデ・エスクード
日本への輸出品…コーヒー
国のようす……観光業に力を入れ、ヨーロッパから多くの人が訪れる。しかし、ほかの産業はふるわず、本国の人口を上回る数のカーボベルデ人が外国で生活している。

ガイアナ

熱帯の気候とギアナ高地から流れ出す川。
国名には「豊かな水の地」という意味がある

国名と英名
ガイアナ共和国
Guyana
首都
ジョージタウン
面積
21万5000km²
日本の6割くらい
人口
79万人

南アメリカ
日本からの距離
1万4950km

国旗の意味
緑は農業と森林、白は川などの水資源、黄は鉱物資源をあらわす。黒いふちどりの赤い三角形は新しい国家の建設への活力と熱意をしめす。

こんにちは。
南アメリカで唯一、英語が公用語の国。

たくさんの滝がある。

国名略号…………GUY（ジーユーワイ）
言　　語…………英語、クレオール語、ヒンディー語、ウルドゥー語
通　　貨…………ガイアナ・ドル
日本への輸出品…アルミニウム鉱
国のようす………植民地だった時代に、多民族がすむようになった。国民の4割がインド系。ともにオランダ領だった隣国スリナムと共通点が多い。ガイアナはのちにイギリス領をへて1966年独立。

カザフスタン

広大な草原の国に
石油をはじめとした鉱産資源が富をもたらす

国名と英名
カザフスタン共和国
Kazakhstan
首都
ヌルスルタン
面積
272万5000km²
日本の7倍くらい
人口
1878万人

アジア
日本からの距離
5570km

国旗の意味
青はカザフスタンのすみきった青空とトルコ石のブルーを、黄は希望をあらわす。中央の太陽とワシは自由と愛の象徴で、左側の唐草文は国の伝統紋様。

広い国土の多くは乾燥した砂漠や草原。

首都にある高さ200mのテント風ショッピングモール。

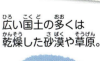

国名略号…………KAZ（ケーエーゼット）
言　　語…………カザフ語、ロシア語
通　　貨…………テンゲ
日本への輸出品…鉄とクロムの合金、石油
国のようす………15世紀にできたモンゴル系民族の国、カザフ・ハン国がもと。石油や天然ガスはカスピ海周辺でとれる。草原につくられた首都は、2019年にアスタナからヌルスルタンという名称になった。

カ

37

カタール

石油でえた資金で最先端の事業に取り組む砂漠の国

国旗の意味
最初の国旗にはイスラム教分派のシンボルとして赤が使われていたが、日光にあたり色が変わってしまった。のちに、このえび茶色を正式な国旗とした。

アジア
日本からの距離
8260km

国名と英名
カタール国
Qatar

首都
ドーハ

面積
1万2000k㎡
東京都の5倍くらい

人口
288万人

巨大なハブ空港、ハマド国際空港。

中東のマスメディア「アルジャジーラ」の本社がある。

- 国名略号……QAT
- 言語……アラビア語
- 通貨……カタール・リヤル
- 日本への輸出品…石油、天然ガス
- 国のようす……中東の多くの国では労働力を外国人にたよっており、カタールでもインドやイラン、パキスタンなどからの労働者が多く、カタール国籍の人より多い。金融サービスなどの事業に取り組んでいる。

カナダ

豊かな森とロッキー山脈の山やまが世界の人びとをひきつける

国旗の意味
かつてはイギリスの商船旗に紋章を入れたものを国旗として使っていたが、1965年にカナダのシンボルであるカエデを中央においた国旗がつくられた。

北アメリカ
日本からの距離
1万350km

国名と英名
カナダ
Canada

首都
オタワ

面積
998万5000k㎡
日本の26倍くらい

人口
3774万人

なたね油の生産量が世界1位。

オーロラは夜が長い季節のほうが見やすい。

- 国名略号……CAN
- 言語……英語、フランス語
- 通貨……カナダ・ドル
- 日本への輸出品…なたね、銅鉱、鉄鉱、肉類
- 国のようす……大部分が冷帯と寒帯。イギリスとフランスの植民地が、1867年自治領として独立。イギリス連邦のメンバーだが、フランスの文化を濃く残す地域もある。近年、石油などの採掘がさかん。

ガボン

石油採掘がさかんなギニア湾岸でも
有数の産油国

国旗の意味

緑は原生林、黄は赤道と太陽、青は海をあらわす。国旗は、この国で医療活動を続けたシュバイツァー博士の著書『水と原生林のはざまで』をヒントにデザインされた。

アフリカ
日本からの距離
1万3510km

国名と英名
ガボン共和国
Gabon

首都
リーブルビル

面積
26万8000km²
日本の7割くらい

人口
223万人

ギニア湾では石油のほとんどが海底油田でとれる。

ニシローランドゴリラ

国名略号……GAB
言　　語……フランス語
通　　貨……CFAフラン
日本への輸出品…マンガン鉱、木材
国のようす……中部アフリカに位置する赤道直下の国で気候は高温多湿。国土の大部分が熱帯雨林におおわれていて、自然環境の保全に力を入れている。経済は石油が柱で、農業はふるわない。

カメルーン

赤道に近く、4000mをこすカメルーン山から
低地まで変化にとんだ気候をもつ

国旗の意味

汎アフリカ色という緑・赤・黄の組みあわせ。緑は豊かな森林を、赤は独立運動で流れた血を、黄は富をあらわす。

アフリカ
日本からの距離
1万3080km

国名と英名
カメルーン共和国
Cameroon

首都
ヤウンデ

面積
47万6000km²
日本の1.3倍くらい

人口
2655万人

アフリカでもとくにサッカーがさかんな国。

マッサ族の住居
北部の乾燥地域にある伝統的な家。

国名略号……CMR
言　　語……フランス語、英語ほか
通　　貨……CFAフラン
日本への輸出品…アルミニウム合金、木材、カカオ豆
国のようす……北部の乾燥地域、南部の密林地域や高山など、多彩な環境に数多くの民族がくらす。イギリスとフランスの植民地だった。ギニア湾岸産油国のひとつ。

韓国

朝鮮半島を二分する形で成立。
電子、自動車などの産業がさかん

アジア
日本からの距離
1150km

国名と英名
大韓民国
Republic of Korea

首都
ソウル

面積
10万km²
北海道の1.2倍くらい

人口
5127万人

国旗の意味

「太極旗」ともよばれる。中央のともえ形の赤は陽、青は陰をしめす。まわりの黒い印は「卦」とよばれるもので、四季や方角などを意味し、国や民族の団結をあらわしている。

電子機器や自動車産業がさかん。

伝統衣装 チマチョゴリ

国名略号............KOR
言　　語............韓国語
通　　貨............ウォン
日本への輸出品....石油製品、鉄鋼板、電話機、集積回路
国のようす..........第二次世界大戦後、1948年に成立。日本と同様に、原材料を輸入して製品を輸出する加工貿易が経済の中心で、最大の相手国は中国。学歴社会のため、受験競争が過熱している。

カ

ガンビア

ガンビア川沿いにできた
アフリカ大陸最小の細長い国

アフリカ
日本からの距離
1万4020km

国名と英名
ガンビア共和国
The Gambia

首都
バンジュール

面積
1万1000km²
東京都の5倍くらい

人口
242万人

国旗の意味

中央の青い帯は、ガンビア川で、上下の白い線は川の両岸を走る道と平和をあらわす。赤は太陽とセネガルとの友好を、緑は豊かな農業と希望をあらわす。

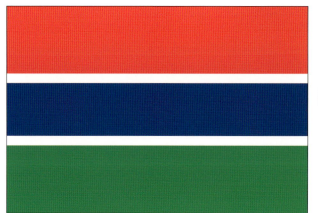

ガンビア川には野生動物も多い。

奴隷貿易の拠点だったクンタ・キンテ島が世界遺産となっている。

国名略号............GAM
言　　語............英語、マンディンゴ語、ウォロフ語、フラ語
通　　貨............ダラシ
日本への輸出品....肝油
国のようす..........国民の多くがイスラム教徒の国。フランス領だったこの地域で、ガンビア川の河口から約320kmがイギリス領とされた。ガンビア川は交通手段としても、ラッカセイの輸送路に使われている。

カンボジア

アンコールワットをはじめ、密林に多くの遺跡が残る

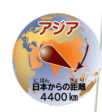
アジア
日本からの距離
4400km

国名と英名
カンボジア王国
Cambodia

首都
プノンペン

面積
18万1000㎢
日本の半分くらい

人口
1672万人

国旗の意味
青は王権を、赤は国家を、白は仏教徒をあらわしている。中央にはカンボジアのシンボル、アンコールワットがえがかれている。

伝統のおどり
アプサラダンス

タ・プローム遺跡の仏頭

国名略号………… CAM
言語……………… カンボジア語
通貨……………… リエル
日本への輸出品… 衣類、自動車部品
国のようす……… 1953年にフランスから独立。1970年からの23年も続いた内戦では、数知れぬほどの命が失われた。1993年に国連の協力で選挙がおこなわれ、政情が回復。順調な経済成長を歩んでいる。

北朝鮮

朝鮮半島を二分する形で成立した社会主義国。
国連加盟国で日本と国交がない、ただひとつの国

アジア
日本からの距離
1290km

国名と英名
朝鮮民主主義人民共和国
Democratic People's Republic of Korea

首都
ピョンヤン（平壌）

面積
12万1000㎢
北海道の1.5倍くらい

人口
2578万人

国旗の意味
国旗に使われている赤と青は朝鮮の伝統的な色で、赤の帯と星は共産社会の建設を、青は平和への希望を、白は明るい光をあらわしている。

100万人をこえる兵力をもつという。

集団でおどる
マスゲーム。

国名略号………… PRK
言語……………… 朝鮮語
通貨……………… ウォン
日本への輸出品… 日本は輸出入を禁止（2016年時点）
国のようす……… 朝鮮半島の北部に1948年成立した社会主義の国で、韓国、日本、アメリカなどと対立している。経済の基盤が弱く、食料不足など不安定な状況が続いているのではないかと推測されている。

北マケドニア

バルカン半島の内陸にあり、古代には王国がさかえた

国名と英名
北マケドニア共和国
North Macedonia

首都
スコピエ

面積
2万6000km²
九州の7割くらい

人口
208万人

日本からの距離 9360km／ヨーロッパ

国旗の意味
赤地に8本の光線を放つ太陽をえがいている。南ヨーロッパの自然と世界中に行きわたる光をあらわす。赤と黄色はマケドニアの伝統的な紋章に使われてきた色。

松明をもって歩く伝統的な結婚式。

13世紀にたてられた、湖畔の聖堂。

国名略号………MKD
言　　語………マケドニア語、アルバニア語
通　　貨………マケドニア・デナル
日本への輸出品…白金、電話用機械
国のようす………1991年に旧ユーゴスラビアから独立。マケドニアは古代に王国としてさかえた歴史ある地名で、ギリシャがその使用に反対していたが、「北」をつけることで決着。2019年に現在の国名になった。

ギニア

サハラ砂漠の南に広がる緑豊かな地をさす、古くからの地名を国名に

国名と英名
ギニア共和国
Guinea

首都
コナクリ

面積
24万6000km²
日本の7割くらい

人口
1313万人

日本からの距離 1万4280km／アフリカ

国旗の意味
緑・黄・赤の汎アフリカ色を取り入れていて、緑は希望と活力を、黄は繁栄と大地の豊かさを、赤は国の独立とアフリカの統一を意味している。

ジャンベ
西アフリカで演奏される太鼓。

Bonjour
フランス語のこんにちは。

国名略号………GUI
言　　語………フランス語、各民族語
通　　貨………ギニア・フラン
日本への輸出品…タコ、銅
国のようす………海岸部は熱帯雨林が広がり、森林ギニアとよばれる。フランスから1958年に国民投票で独立した。ボーキサイトが注目されるなど、鉱産資源は豊かだが、開発は進まず経済は停滞している。

ギニアビサウ

1973年、ポルトガルから独立。
国名に首都の名前を入れている

国旗の意味

国民を意味する黒い星に赤・黄・緑の汎アフリカ色を取り入れている。赤は独立運動で流された血を、黄は豊かさと繁栄を、緑は農業をあらわす。

国名と英名
ギニアビサウ共和国
Guinea-Bissau
首都
ビサウ
面積
3万6000km²
九州と同じくらい
人口
197万人

アフリカ
日本からの距離
1万4140km

ポルトガル語のおはよう。（Bomdia）

カシューナッツは赤や黄色の実の先に飛び出た種の部分。

国名略号……GBS
言　語……ポルトガル語
通　貨……CFAフラン
日本への輸出品……とくになし
国のようす……1446年にポルトガルの植民地となった。1973年に独立したが、くり返しおこるクーデターで政治は安定しない。最貧国のひとつ。米などの自給農業が中心で、カシューナッツなどを輸出。

キプロス

国が二分されている状態が続くが
2004年にEU加盟をはたす

国旗の意味

キプロス島をえがいている黄は、この島でとれる銅の色を、2本のオリーブの枝には、平和と協力への思いがこめられている。

国名と英名
キプロス共和国
Cyprus
首都
ニコシア
面積
9251km²
東京都の4.2倍くらい
人口
121万人

アジア
日本からの距離
9070km

女神アフロディーテはこの島で誕生したという伝説がある。

北のトルコ系政権は「北キプロス・トルコ共和国」という。

国名略号……CYP
言　語……現代ギリシャ語、トルコ語
通　貨……ユーロ
日本への輸出品……せっけん、マグロ
国のようす……1960年にイギリスから独立。1974年のクーデターによる混乱で、北部にトルコ軍が侵攻。トルコ系政権を樹立し、南部のギリシャ系政権と国土を二分している。おもな産業は観光と金融。

キューバ

アメリカ大陸にはじめてできた社会主義の国。
「カリブの赤い島」ともよばれてきた

北アメリカ
日本からの距離
1万2140km

国名と英名
キューバ共和国
Cuba
首都
ハバナ
面積
11万km²
北海道の1.3倍くらい
人口
1133万人

国旗の意味
3本の青い帯は独立当時のおもな3地域を、白い帯は独立の精神を、赤い三角形は自由・博愛・平等、そして独立のために流された血をあらわす。白いひとつ星は国の独立と、未来への願いを意味する。

革命指導者のひとり、チェ・ゲバラ。

ハバナではクラシックカーが現役。

国名略号………CUB
言　　語………スペイン語
通　　貨………キューバ・ペソ、兌換ペソ
日本への輸出品…葉巻タバコ、コーヒー、イセエビ
国のようす………1959年カストロのもとキューバ革命がおこり、社会主義政権となる。以降アメリカと敵対し、ソ連によるミサイル基地の建設計画にはじまる「キューバ危機」がおこる。2015年に国交回復。

キ

ギリシャ

オリンピックがはじまった地。
古代遺跡とエーゲ海の島じまが人気

ヨーロッパ
日本からの距離
9530km

国名と英名
ギリシャ共和国
Greece
首都
アテネ
面積
13万2000km²
北海道の1.6倍くらい
人口
1042万人

国旗の意味
左上の十字架はギリシャ正教（キリスト教）を、青は青空と海を、白は純潔と平和をあらわす。また、青と白の帯が9本なのは、「自由か死か」というギリシャ語の9音節をあらわすともされる。

エーゲ海の観光地、サントリーニ島の白亜の街。

アテネの
パルテノン神殿

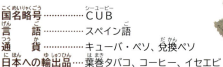

国名略号………GRE
言　　語………現代ギリシャ語
通　　貨………ユーロ
日本への輸出品…タバコ類、医薬品
国のようす………ギリシャ文明がさかえ、オリンピックの発祥地でもある。観光、海運、海外移民からの送金などが経済をささえてきたが、2010年には経済危機がおこった。

キリバス

世界で最も早く日付が変わる国。
海抜の低い環礁の島が大半

国旗の意味

太陽は、この国が世界で最も早く日がのぼることを意味する。青と白の3本の波はこの国が3つの諸島から構成されていることを、グンカンドリは希望をあらわす。

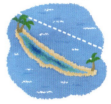

オセアニア
日本からの距離
5160km

国名と英名
キリバス共和国
Kiribati

首都
タラワ

面積
726km²
淡路島の1.2倍くらい

人口
12万人

いちばん東にある島（カロリン島）をミレニアム島と改名。

サンゴ礁がつくった島じま。

国名略号……KIR（ケーアイアール）
言　語……キリバス語、英語
通　貨……オーストラリア・ドル
日本への輸出品……マグロ
国のようす……太平洋にうかぶ熱帯気候の国。地球温暖化による海面上昇で、国土の水没が心配されていて、周辺国への避難や移住の受け入れをうったえている。観光や真珠養殖がさかん。

キルギス

国のほとんどが、
1500mをこえる高地にある山国

国旗の意味

草原にかがやく太陽とキルギス人の移動式テント（ユルト）の天井部分を組みあわせて図案化し、遊牧民としてのほこりをあらわしている。

アジア
日本からの距離
5530km

国名と英名
キルギス共和国
Kyrgyz

首都
ビシュケク

面積
20万km²
日本の半分くらい

人口
652万人

馬で走る遊牧の民。

ユキヒョウ
中央アジアの高山にすむ。

国名略号……KGZ（ケージーゼット）
言　語……キルギス語、ロシア語
通　貨……ソム
日本への輸出品……はちみつ
国のようす……遊牧民としてくらしてきたキルギス人を中心とした国。牧畜、綿花、タバコなどの農業が営まれているが、金の産出と出稼ぎ労働者の仕送りが経済をささえている。

45

グアテマラ

マヤ文明がさかえた国のひとつ。
今もマヤ系先住民が国民の4割以上をしめる

国旗の意味

青と白の色は19世紀中ごろにあった中央アメリカ連邦国の旗にちなむ。中央には自由の象徴とされている鳥ケツァールがえがかれ、その下には独立記念日の文字が記されている。

北アメリカ
日本からの距離
1万2340km

国名と英名
グアテマラ共和国
Guatemala

首都
グアテマラ市

面積
10万9000㎢
北海道の1.3倍くらい

人口
1792万人

コーヒー、砂糖、バナナを輸出。

マヤの遺跡ティカル

国名略号……GUA
言　　語……スペイン語、マヤ系言語
通　　貨……ケツァル
日本への輸出品……コーヒー、バナナ、ゴム
国のようす……火山や地震の多い国。1960年から36年間にわたり内戦が続いた。国民の約1割、150万人以上がアメリカに移住し、送金をして家計をささえている。治安回復が課題。

クウェート

石油収入のおかげで国民は無税。
教育、医療にもお金がかからない

国旗の意味

黒はクウェート人、緑は国土、白は国民の純潔さ、赤は聖戦での勇気をあらわす。

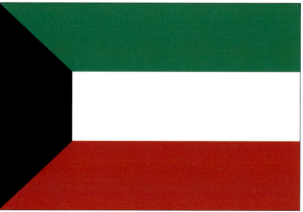

アジア
日本からの距離
8320km

国名と英名
クウェート国
Kuwait

首都
クウェート

面積
1万8000㎢
東京都の8倍くらい

人口
427万人

人口の6割も占める外国人が働いている。

タンカーで運び出される石油。

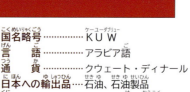

国名略号……KUW
言　　語……アラビア語
通　　貨……クウェート・ディナール
日本への輸出品……石油、石油製品
国のようす……サバーハ家の王国。1990年にイラクの侵攻を受け、湾岸戦争のきっかけとなった国。産油国のばく大な石油収入はオイルマネーとよばれ、海外へ投資する金融に利用されている。

クック諸島

太平洋の探検で知られる
クック船長の名前がついた島じま

国旗の意味
イギリスの国旗を取り入れ、おもな15の島じまをあらわす星を円形に配置している。

オセアニア
日本からの距離
8960km

国名と英名
クック諸島
Cook Islands
首都
アバルア
面積
236㎢
淡路島の4割くらい
人口
2万人

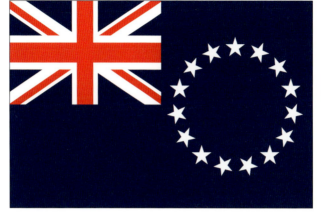

ジェームズ・クック船長
18世紀イギリスの探検家。

キンメダイ

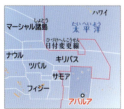

国名略号……COK
言　　語……クック諸島マオリ語、英語
通　　貨……ニュージーランド・ドル
日本への輸出品…キンメダイ
国のようす………赤道の南、日付変更線の東にある15の島じまからなる国。日本は2011年に国として承認した。国民はポリネシア系マオリ人で、観光業や真珠養殖をしている。

グレナダ

「スパイス・アイランド」とよばれるほど
ナツメグやシナモンの生産がさかん

国旗の意味
黄は富と太陽を、緑は豊かな土地を、赤は国民の勇気と調和をあらわす。7つの星は行政区の数を、左には特産品のナツメグをあしらう。

北アメリカ
日本からの距離
1万4260km

国名と英名
グレナダ
Grenada
首都
セントジョージズ
面積
345㎢
淡路島の6割くらい
人口
11万人

国際ヨットレースも開催される。

ナツメグの実
肉料理にはかかせない香辛料。

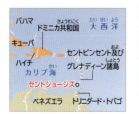

国名略号……GRN
言　　語……英語、グレナダ・クレオール語
通　　貨……東カリブ・ドル
日本への輸出品…衣料品、カカオ豆
国のようす………1974年イギリスから独立。クーデターをきっかけにおこった、アメリカ軍などによる1983年の「グレナダ侵攻」は世界の注目をあびた。農業のほか、観光業の発展に力をいれている。

クロアチア

アドリア海にうかぶ島じまと海岸は
ヨーロッパの観光スポット

国旗の意味

スラブ民族の旗に共通の赤・白・青を使い、中央にクロアチアの国章。上部の5つの盾には国内5地域のシンボルがえがかれている。

ヨーロッパ
日本からの距離
9370km

国名と英名
クロアチア共和国
Croatia

首都
ザグレブ

面積
5万7000km²
九州の1.5倍くらい

人口
411万人

クロアチアの郷土料理。

ドゥブロヴニクの街並
「アドリア海の真珠」とよばれる。

国名略号……CRO
言　　語……クロアチア語
通　　貨……クーナ
日本への輸出品……マグロ、石油製品
国のようす……首都のある内陸の平野とアドリア海に面する地方からなる。スラブ系の人びとがすむ。1991年にユーゴスラビアからの分離・独立宣言をするが、はげしい紛争となった。2013年EU加盟。

ケニア

数多くの国立公園や動物保護区に
さまざまな野生動物がくらす

国旗の意味

黒は国民を、赤は解放のための闘争を、緑は農業と天然資源を、白い2本の線は平和をあらわす。盾と槍はマサイ族のもので、独立でえた自由のシンボル。

アフリカ
日本からの距離
1万1260km

国名と英名
ケニア共和国
Kenya

首都
ナイロビ

面積
59万2000km²
日本の1.6倍くらい

人口
5377万人

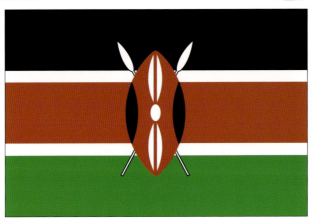

マサイ族はケニアとタンザニアにくらす遊牧民。

フラミンゴ

国名略号……KEN
言　　語……スワヒリ語、英語
通　　貨……ケニア・シリング
日本への輸出品……金属鉱、コーヒー、紅茶、バラ
国のようす……赤道直下の高原の国で、サバンナが広がる。1963年にイギリスから独立。キクユ族、ルヒヤ族など多くの民族がくらし、キリスト教徒が多い。東アフリカでの主要国のひとつ。

コートジボワール

カカオの生産量は世界1位。
近年は石油も主要な輸出品に

国旗の意味

オレンジは北部のサバンナと国のおおらかさを、白は平和を、緑は南部の原生林と将来の希望をあらわしている。

アフリカ
日本からの距離
1万4050km

国名と英名
コートジボワール共和国
Côte d' Ivoire

首都
ヤムスクロ
(実質的な首都はアビジャン)

面積
32万2000km²
日本の9割くらい

人口
2638万人

カカオの実
カカオ豆がつまっている。

かつて日本では象牙海岸といっていた。

国名略号……CIV
言　語……フランス語、各民族語
通　貨……CFAフラン
日本への輸出品……ココアペースト、カカオ豆
国のようす……60以上の民族がくらす。1960年にフランスから独立後、順調に発展して「西アフリカの優等生」とよばれた。おもな産業は農業で、カカオ豆のほか、コーヒー豆なども世界有数の生産量。

コスタリカ

多様な自然をいかした国づくりを進める。
スペイン語で「豊かな海岸」の国

国旗の意味

青は空を、白は平和を、赤は独立で流した血をあらわす。星の数は7つの地域を、帆船がうかぶ海は太平洋とカリブ海をあらわす。

北アメリカ
日本からの距離
1万3190km

国名と英名
コスタリカ共和国
Costa Rica

首都
サンホセ

面積
5万1000km²
九州の1.4倍くらい

人口
509万人

ハチドリ

ツノゼミの仲間

国名略号……CRC
言　語……スペイン語
通　貨……コロン
日本への輸出品……医療用の針、その他医療機器
国のようす……中央アメリカ連邦から1848年に独立。中央アメリカで最も安全な国といわれてきたが、近年治安は悪化。おもに農業が主体であったが、工業化や自然保護にもとづいた観光に力をそそいでいる。

コソボ

2008年、独立を宣言したが世界には独立を認めていない国も多い

ヨーロッパ
日本からの距離
9330km

国名と英名
コソボ共和国
Kosovo
首都
プリシュティナ
面積
1万1000km²
東京都の5倍くらい
人口
179万人

国旗の意味

EUの旗にあやかった青はヨーロッパとの一体化を、白は平和を、黄は豊かさをあらわす。星は国内の6つの民族をしめす。

アルバニア系住民が大多数。

通貨のユーロは独自に導入した。

国名略号 ………… KOS
言　語 ………… アルバニア語、セルビア語など
通　貨 ………… ユーロ
日本への輸出品 … 魚の切り身
国のようす ……… セルビアの自治州だったが、アルバニア系住民が1990年独立を宣言。クロアチア、ボスニア・ヘルツェゴビナに続き、旧ユーゴ内でのはげしい紛争となった。2008年共和国独立を宣言。

コモロ

古くから航海者たちに知られていた島じま。バニラなどの香料が輸出品

アフリカ
日本からの距離
1万1340km

国名と英名
コモロ連合
Comoros
首都
モロニ
面積
2235km²
東京都と同じくらい
人口
87万人

国旗の意味

三日月と星と緑はこの国がイスラム教の国であることをしめしている。星と4色の帯は4つの島をあらわす。4つ目の島は領有権を主張しているとなりのフランス領マヨット島。

生きているシーラカンスが確認されている。

香水の材料、イランイランの花。

国名略号 ………… COM
言　語 ………… フランス語、アラビア語、コモロ語
通　貨 ………… コモロ・フラン
日本への輸出品 … 精油（香水の原料）
国のようす ……… 1975年フランスから独立。3つの島があり、それぞれの島の「連合」というかたちの国。大統領は3つの島から輪番で選出されるが、不安定な政治が続いている。

コロンビア

豊かな地下資源は国の所有物。
炭鉱や鉱山の開発を進め経済をささえている

国名と英名
コロンビア共和国
Colombia

首都
ボゴタ

面積
114万2000km²
日本の3倍くらい

人口
5088万人

国旗の意味

黄は新大陸の黄金、赤は革命のため流した血をあらわし、青は太平洋・カリブ海の海の意味をもつ。

コロンビアはエメラルドの一大産地。

日本に輸入されるカーネーションの7割がコロンビア産。

国名略号……COL
言　語……スペイン語
通　貨……ペソ
日本への輸出品……コーヒー、石炭、カーネーション
国のようす……1886年に独立。豊かな鉱産資源とコーヒーなどの農産物によって、成長を続けている。50年以上にわたって政府軍と反政府武装勢力の内戦が続いたが、2016年に和平合意した。

コンゴ

かつての「コンゴ王国」から
フランス領となった地が独立

国名と英名
コンゴ共和国
Republic of Congo

首都
ブラザビル

面積
34万2000km²
日本の9割くらい

人口
552万人

国旗の意味

緑・黄・赤は汎アフリカの配色で、緑は豊かな森林と未来への希望を、黄は誇りと誠実を、赤は国民の情熱をあらわす。

コンゴ川をはさんでとなりの国の首都と向きあう。

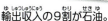
輸出収入の9割が石油。

国名略号……CGO
言　語……フランス語、リンガラ語、キトゥバ語
通　貨……CFAフラン
日本への輸出品……銅、アルミニウム合金
国のようす……赤道直下で熱帯雨林が広がる。昔、現在のコンゴからアンゴラにかけてさかえたコンゴ王国があった。1960年フランスから独立。1991年に共和国になった。ギニア湾岸の産油国。

コンゴ民主共和国

かつての「コンゴ王国」から
ベルギー領となった地が独立

国旗の意味

青は平和と希望、黄は天然資源、赤い帯は国家統一で流された人びとの血、星は国家と民族の統合をしめすとされる。

アフリカ
日本からの距離
1万3360km

国名と英名
コンゴ民主共和国
Democratic Republic of the Congo

首都
キンシャサ

面積
234万5000km²
日本の6倍くらい

人口
8956万人

マウンテンゴリラ

東部のアフリカ大地溝帯にあるニーラゴンゴ活火山。

国名略号………COD
言　　語………フランス語、キスワヒリ語、リンガラ語ほか
通　　貨………コンゴ・フラン
日本への輸出品…銅、木材、コーヒー
国のようす………国の大半がコンゴ川流域。1960年ベルギー領が独立。クーデターや紛争がやまず、経済は壊滅状態となっており、政府は復興に努めている。金やダイヤモンドなど多くの鉱産資源に恵まれる。

ほんとはいろいろなかたち

タテの長さを等しくして比較

決まりはなく国が独自にデザイン

国旗にはその形や大きさ、色などに国際的な決まり事はない。国民の意識をまとめ、愛国心を育てる上でのシンボルとして、各国が独自のデザインを採用することができる。

ほとんどが四角形、タテヨコの比率はさまざま

ただ1カ国だけ、ネパールが三角形を組み合わせたペナント形で、ほかはすべて四角形になっている。四角形のタテヨコの比率は、スイスの1：1（正方形）から、カタールの11：28まで、さまざま。国によって独自に決められている。

国連などではタテヨコを2：3の比率で統一

国連やオリンピックなどの国際競技大会で使用される国旗は、タテヨコ2：3の比率で使われる。こうしたこともあり、最も多く採用されているタテヨコ比は2：3で、次に1：2、3：5の比率などが多くなっている。

スイス
1：1

ブラジル
7：10

日本
2：3

ドイツ
3：5

カナダ
1：2

カタール
11：28

サウジアラビア

世界中のイスラム教徒が聖地巡礼に訪れる中東最大の国

国旗の意味

緑地に、イスラム教の信仰をしめす「アッラーのほかに神はなし。ムハンマドはアッラーの使徒」というアラビア文字が書かれている。文字の下の刀は、聖地メッカを守ることをあらわしたもの。

アジア
日本からの距離 8710km

国名と英名
サウジアラビア王国
Saudi Arabia

首都
リヤド

面積
220万7000km²
日本の6倍くらい

人口
3481万人

サウード家の国王が国を統治している。

聖地メッカのカアバ神殿。

- 国名略号………KSA
- 言語……………アラビア語
- 通貨……………サウジアラビア・リヤル
- 日本への輸出品…石油、石油製品、メタノール
- 国のようす……国の名前は「サウード家のアラビア」という意味。イスラム教の2大聖地、メッカとメディナがある。国土のほとんどが砂漠で、海水を淡水化して利用している。

サモア

ポリネシア文化を色濃く残す、南太平洋の中ほどにうかぶ島国

国旗の意味

国旗のデザインはニュージーランドを手本にしたもの。星は南半球のシンボル、南十字星。3つの色は、それぞれ赤が勇気、青が国の自由、白は純粋をしめしている。

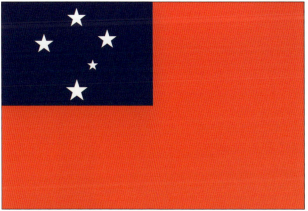

オセアニア
日本からの距離 7490km

国名と英名
サモア独立国
Samoa

首都
アピア

面積
2842km²
東京都の1.3倍くらい

人口
20万人

木の皮からつくる布で「タパ」という伝統品。

おもな農産物はタロイモやココヤシ。

- 国名略号………SAM
- 言語……………サモア語、英語
- 通貨……………サモア・タラ
- 日本への輸出品…果実ジュース
- 国のようす……伝統的に4つの大首長（マタイ）の家から国の元首が選ばれる。豊かさの象徴として、太ることがよいとされてきたが、最近は先進国からの影響でダイエットが広まっている。

サントメ・プリンシペ

ギニア湾に一列にならんだ赤道直下の火山諸島

国旗の意味

赤・黄・緑は「汎アフリカ色」とよばれる配色。赤は独立のために流した血、黄色は国土の豊かさ、緑は森林とカカオをあらわす。黒い星は、黒人の国家であることと、主要な2つの島をしめす。

アフリカ 日本からの距離 1万3730km

国名と英名	サントメ・プリンシペ民主共和国 Sao Tome and Principe
首都	サントメ
面積	964km² 淡路島の1.6倍くらい
人口	22万人

サントメ島にある、するどくそそり立つカン・グランデ峰。

外貨をえるため美しい切手を発行。

国名略号……STP
言　語……ポルトガル語
通　貨……ドブラ
日本への輸出品……カカオ豆、機械部品
国のようす……1975年にポルトガルから独立。サントメ島とプリンシペ島という2つの島が国の中心。世界でも最も貧しい国のひとつで、食糧など多くを輸入にたよっている。

ザンビア

アフリカ南部にある内陸国。安定した政治が続いている

国旗の意味

赤・黄・緑の「汎アフリカ色」と黒を使った国旗。地の緑は農業、赤は自由のために流した血、黄は鉱物資源、黒はザンビア国民をしめしている。ワシは、困難に負けず自由に羽ばたく国民の力の象徴。

アフリカ 日本からの距離 1万2920km

国名と英名	ザンビア共和国 Zambia
首都	ルサカ
面積	75万3000km² 日本の2倍くらい
人口	1838万人

草原には野生動物がたくさん生息している。

ジンバブエとの国境にあるヴィクトリア滝。

国名略号……ZAM
言　語……英語、ベンバ語、ニャンジャ語、トンガ語
通　貨……ザンビア・クワチャ
日本への輸出品……白金、銅、タバコ
国のようす……国土の大部分が高原にあるため、過ごしやすい気候。1964年イギリスから独立して以来、経済は銅の輸出にたよっている。「カッパーベルト」とよばれる世界有数の鉱山地帯がある。

サンマリノ

天然の要塞ティターノ山にできた4世紀から続く小さな国

国旗の意味

白は国民の純粋さ、水色はティターノ山をおおう青空とアドリア海をあらわしている。中央の紋章は、まん中にティターノ山にたつ3つの塔（城塞）とダチョウの羽。まわりを月桂樹と柏の葉がかこんでいる。

ヨーロッパ
日本からの距離
9710km

国名と英名
サンマリノ共和国
San Marino

首都
サンマリノ

面積
61km²
淡路島の1割くらい

人口
3万人

聖マリーノ像

ティターノ山頂上にある城塞。

国名略号……SMR
言　　語……イタリア語
通　　貨……ユーロ
日本への輸出品……とくになし
国のようす……世界で5番目に小さな国。石工だった聖マリーノ（マリヌス）がローマ皇帝によるキリスト教迫害を逃れ、この地に住んだという伝説がある。執政とよばれる国の元首は半年ごとに選ばれる。

シエラレオネ

「ライオンの山」を意味する国名。戦乱と病の影響で苦しんでいる

国旗の意味

緑は農業と丘陵地帯を、白は正義と平和を、青は国の西側に広がる大西洋と、それに向けてさかえる港町のフリータウンをあらわしている。

アフリカ
日本からの距離
1万4360km

国名と英名
シエラレオネ共和国
Sierra Leone

首都
フリータウン

面積
7万2000km²
北海道の9割くらい

人口
798万人

戦闘や病気で多くの大人たちが命を落とした。

内戦が10年以上も続いた。

国名略号……SLE
言　　語……英語、クリオ語、メンデ語、テムネ語など
通　　貨……レオン
日本への輸出品……チタン鉱
国のようす……1961年にイギリスから独立したが、1990年代に内戦がはじまる。長く続いた戦闘やエイズの流行などで、大人の人口が減少し、世界でも平均寿命が短い国。おもな産業はダイヤモンド生産。

ジブチ

紅海の入口にあり、アジアとヨーロッパをつなぐ海上貿易の拠点

アフリカ
日本からの距離
9850km

国名と英名
ジブチ共和国
Djibouti
首都
ジブチ
面積
2万3000km²
九州の6割くらい
人口
99万人

国旗の意味
青と緑は、それぞれ国民の半分をしめるイッサ族とアファール族をしめし、白い三角形は、その2つの部族の平等と平和をあらわしている。赤い星は、独立で流された血の象徴。

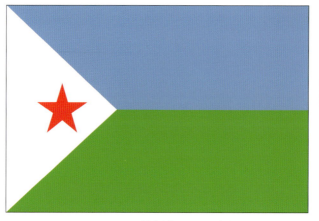

ジブチ・エチオピア鉄道

インド洋と紅海をつなぐジブチ港は、荷物の積みかえでにぎわう。

国名略号……DJI
言　　語……アラビア語、フランス語
通　　貨……ジブチ・フラン
日本への輸出品……ほかの国からの輸出品を中継している。
国のようす……1977年にフランスから独立。紅海の入口にあり、ジブチ港を拠点とする中継貿易がさかん。とくに内陸国エチオピアの玄関口として、運輸をになっている。

ジャマイカ

カリブ海にうかぶレゲエ・ミュージック誕生の島

北アメリカ
日本からの距離
1万2930km

国名と英名
ジャマイカ
Jamaica
首都
キングストン
面積
1万1000km²
東京都の5倍くらい
人口
296万人

国旗の意味
黒は国民の多くが黒人系であることと困難に立ち向かう強さをしめし、緑は豊かな自然の恵みと希望をあらわす。黄色は太陽のかがやきであるとともに、エックス印は聖アンドレアスの紋章でもある。

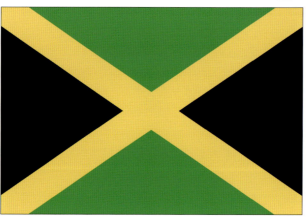

17世紀ごろ、カリブの海賊のねじろのひとつ。

ドレッドヘア

国名略号……JAM
言　　語……英語、英語系パトゥア語
通　　貨……ジャマイカ・ドル
日本への輸出品……コーヒー、ラム酒
国のようす……国民は奴隷制時代に西アフリカから連れてこられた人びとの子孫がほとんど。レゲエとよばれる音楽は、彼らのアフリカ回帰運動とともに広まった。

ジョージア

黒海の東岸、カフカス地方にある
歴史の古いキリスト教国

アジア
日本からの距離
7840km

国名と英名
ジョージア
Georgia

首都
トビリシ

面積
7万km²
北海道の8割くらい

人口
399万人

国旗の意味

白地に中央の大きな赤十字が、守護聖人、聖ゲオルギウス（ジョージ）をしめす。まわりに小さな十字をおいた全体は「5つの十字架の旗」「エルサレム十字」とよばれ、十字軍の紋章でもある。

竜退治の聖ゲオルギウス（ジョージ）。

世界最古の歴史をもつともいわれるワイン。

国名略号 ……… GEO
言　語 ……… ジョージア語
通　貨 ……… ラリ
日本への輸出品 …… 白金、アルミニウム合金、ワイン
国のようす ……… ジョージア語による国名は「サカルトヴェロ」。英語名称のジョージアは守護聖人、聖ゲオルギウス（ジョージ）に由来。近年まで日本ではロシア語読みで「グルジア」とよばれていた。

シリア

古い歴史をもつオリエントの地。
内戦が続き、国民の流出が止まらない

アジア
日本からの距離
8970km

国名と英名
シリア・アラブ共和国
Syria

首都
ダマスカス

面積
18万5000km²
日本の半分くらい

人口
1750万人

国旗の意味

赤は剣、白は善、黒は戦いをあらわす。緑の星は美しい大地と「アラブはひとつ」を意味する。もともとはエジプトとシリアが「アラブ連合共和国」をつくったときに制定された旗。

たくさんの難民が発生している。

戦闘で廃墟となる街もある。

国名略号 ……… SYR
言　語 ……… アラビア語
通　貨 ……… シリア・ポンド
日本への輸出品 …… せっけん
国のようす ……… シリアという地名は紀元前から使われている。首都ダマスカスもおよそ3500年の歴史があり「世界一古い都市」ともいわれる。しかし近年内戦が国全体に広がり、苦しい時代をむかえている。

シンガポール

マレー半島の島にできた都市国家。海上貿易の重要港をもつ

国旗の意味
赤は国民の融和と平等を、白は純潔と徳をあらわす。5つの星は「自由・正義・平等・平和・進歩」の象徴で、それを包むようにおかれた月は、5つの理想と発展をささえる姿勢をしめす。

アジア
日本からの距離
5310km

国名と英名
シンガポール共和国
Singapore

首都
なし（都市国家）

面積
725km²
淡路島の1.2倍くらい

人口
585万人

国土は都市化され、美しい街並みが自慢。空中庭園「サンズ・スカイパーク」。

マーライオン
海のライオンの意味。

国名略号……SGP
言語……マレー語、英語、中国語、タミール語
通貨……シンガポール・ドル
日本への輸出品……電子機器、電子部品、医療品
国のようす……国名はサンスクリット語のライオン「シンハ」に由来している。太平洋とインド洋を結ぶ海峡にあり、海上貿易の重要な拠点で、巨大空港も整備した。東南アジア随一の工業国でもある。

ジンバブエ

国名は13世紀ごろにつくられた遺跡「グレート・ジンバブエ」から

国旗の意味
中央の黒帯を赤・黄・緑の「汎アフリカ色」ではさんだデザイン。緑は農業、黄色は豊かさ、赤は進歩と独立に流された血、黒は国民の連帯、そして白の三角は平和をあらわす。紋章「ジンバブエの鳥」は栄光のシンボル。

アフリカ
日本からの距離
1万2810km

国名と英名
ジンバブエ共和国
Zimbabwe

首都
ハラレ

面積
39万1000km²
日本と同じくらい

人口
1486万人

ハイパーインフレで、山のような札束がわずかな価値に。

世界遺産のグレート・ジンバブエ遺跡。

国名略号……ZIM
言語……英語、ショナ語、ンデベレ語
通貨……ジンバブエ・ドル
日本への輸出品……白金、葉タバコ、鉱物
国のようす……かつてはローデシアとよばれ、南アフリカとともに人種差別が行われていた。1980年にアフリカ人による政権で独立。地下資源が豊富で、白金やダイヤモンドなどが世界有数の生産量をほこる。

スイス

アルプス山脈に抱かれた永世中立国

国旗の意味

赤い地色はカトリックの信仰、白十字はキリスト教精神をあらわすもの。もともとは、13世紀にスイス独立に立ち上がった3つの州のうちのひとつ、シュヴィーツ州の旗がもとになっている。

国名と英名
スイス連邦
Switzerland

首都
ベルン

面積
4万1000㎢
九州の1.1倍くらい

人口
865万人

直接民主制が特色。

アルプス山脈最大のアレッチ氷河。

国名略号……SUI
言　語……ドイツ語、フランス語、イタリア語、ロマンシュ語
通　貨……スイス・フラン
日本への輸出品……医薬品、腕時計、飲料水
国のようす……絶対に他国の戦争にはかかわらない「永世中立国」。自分の国を守るために一定年齢の男は全員軍隊に入る義務がある。地方によって言語が異なり、いちばん広く使われているのはドイツ語。

スウェーデン

工業がさかんな北欧の中核国。充実した福祉制度で有名

国旗の意味

デザインはかつて連合を組んでいたデンマークの「ダンネブロ旗」にならい、当時の王朝の紋章の色に変えたもの。一方で、かつて戦いの折に国王が空に金色の十字架を見たからという伝説もある。

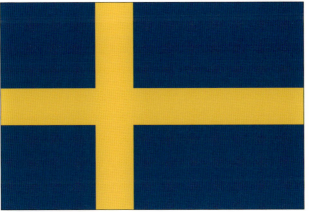

国名と英名
スウェーデン王国
Sweden

首都
ストックホルム

面積
43万9000㎢
日本の1.2倍くらい

人口
1010万人

移民や難民を多く受け入れてきた。

スウェーデン発祥のブランド家具は人気。

国名略号……SWE
言　語……スウェーデン語
通　貨……スウェーデン・クローナ
日本への輸出品……医薬品、自動車、木材
国のようす……スカンディナビア半島東岸にある王国。もともと製造業がさかんで、自動車や電子機器など有名なメーカーが多い。科学者ノーベルを生んだ国で、ノーベル賞（平和賞以外）はこの国で選ばれる。

スーダン

国土の大半が乾燥した大地。ナイル川沿いでは古代文明がさかえた

国旗の意味

赤・白・黒は「汎アラブ色」とよばれる、アラブ国家の統一を象徴するもの。緑はイスラムの伝統色。それぞれ赤は革命と進歩、白は平和と希望、黒はアフリカ大陸、緑はイスラムの幸福をあらわす。

アフリカ
日本からの距離
1万500km

国名と英名	スーダン共和国 / Sudan
首都	ハルツーム
面積	188万km² 日本の5倍くらい
人口	4385万人

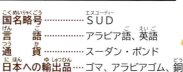
古代エジプトとも関係が深い、ヌビアのメロエ遺跡。

主要な穀物ソルガム（もろこし）。

国名略号……SUD
言　語……アラビア語、英語
通　貨……スーダン・ポンド
日本への輸出品……ゴマ、アラビアゴム、銅
国のようす……2011年に南スーダンが分離・独立するまではアフリカ最大の広さだった。ナイル川沿岸のエジプトに近い地域はヌビアとよばれ、古代文明がさかえた。1956年の独立以来、内乱が絶えない。

スペイン

大航海時代をリードして世界に植民地を広げた国

国旗の意味

「血と金の旗」とよばれ、黄色は国土、赤は国民の血の象徴。黄色を赤ではさむことで、国民の血をかけて国を守る決意をしめす。中央左はスペインのもととなった5つの王国の紋章などを組みあわせたもの。

ヨーロッパ
日本からの距離
1万790km

国名と英名	スペイン王国 / Spain
首都	マドリード
面積	50万6000km² 日本の1.3倍くらい
人口	4675万人

ガウディの代表的建築、サグラダ・ファミリア。

サッカーはスペインでも最も人気のスポーツ。

国名略号……ESP
言　語……スペイン語、バスク語、カタルーニャ語など
通　貨……ユーロ
日本への輸出品……肉類、石油製品、自動車
国のようす……8世紀、海をわたったイスラム勢力に征服され支配をうけ、その影響で独特の文化をつくりあげた。国土回復が完了した15世紀末にコロンブスが新大陸を発見するなど、世界の海に進出した。

スリナム

かつては「オランダ領ギアナ」だった国。
植民地時代に生まれた多彩な文化をもつ

国旗の意味

緑は豊かな国土と希望、白は正義、赤は進歩と国民のよりよい生活をあらわしている。中央におかれた星は、数多くの民族からなるスリナムの国民がひとつになるという願いからえがかれたもの。

国名と英名
スリナム共和国
Suriname

首都
パラマリボ

面積
16万4000km²
北海道の2倍くらい

人口
59万人

日本からの距離 1万5160km

南アメリカ

ヒンドゥー教のホーリー祭。鮮やかな色の粉をかけあう。

大西洋沖は小エビの漁場。

国名略号　　SUR
言　　語　　オランダ語、英語、スリナム語など
通　　貨　　スリナム・ドル
日本への輸出品　魚の切り身、エビ
国のようす　　カリブ海に面したオランダの旧植民地で、公用語は南アメリカではめずらしいオランダ語。さまざまな民族、宗教が混在していて、世界で最も多様な文化をもつ国ともいわれている。

スリランカ

インドの南東にうかぶ島国。
1972年までセイロンとよばれていた

国旗の意味

右の四角い図形はかつてのキャンディ王国の旗がもと。剣をかかげたライオン（シンハ）は多数派のシンハラ族、4つの葉は仏教の象徴。緑とオレンジの帯は、それぞれイスラム教徒、ヒンドゥー教徒をしめす。

国名と英名
スリランカ民主社会主義共和国
Sri Lanka

首都
スリ・ジャヤワルダナプラ・コッテ

面積
6万6000km²
北海道の8割くらい

人口
2141万人

アジア
日本からの距離 6850km

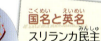
高地では上質な茶ができる。

国民の7割が仏教徒。

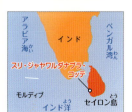

国名略号　　SRI
言　　語　　シンハラ語、タミル語、英語
通　　貨　　ルピー
日本への輸出品　紅茶、エビ
国のようす　　紀元前5世紀ごろインドからきたシンハラ族が国をつくったが、のちにタミル族も侵入しはじめ、大きく2つの民族がくらすようになった。長く続いた内戦は2009年に終結。

スロバキア

社会主義国の一員だったが、1989年、平和的な「ビロード革命」で民主化

国旗の意味

白・青・赤の3色はスラブ民族を象徴する「汎スラブ色」で、色の配置もロシアやスロベニアと共通。盾形の紋章は、国の中央をしめるカルパティア山脈と、国民のシンボルとされる横棒2本の十字。

ヨーロッパ
日本からの距離
9120km

国名と英名
スロバキア共和国
Slovakia

首都
ブラチスラバ

面積
4万9000km²
九州の1.3倍くらい

人口
546万人

海外自動車メーカーの進出がさかん。

カルパティア山中に残る木造教会。

国名略号…………SVK
言　語…………スロバキア語
通　貨…………ユーロ
日本への輸出品…自動車部品
国のようす………チェコとは「チェコスロバキア」というひとつの国だったが、1993年に分離・独立。歴史上、南のハンガリーの影響を強くうけてきた。近年、国外からの工場進出で、経済成長をとげている。

スロベニア

スラブ系民族が多い国。
アルプスの山やまがみせる美しい風景が人気

国旗の意味

「汎スラブ色」の3色を使っており、配置はスロバキアやロシアと同じ。左上の国章は、スロベニアの象徴であるトリグラフ山、川と海をしめす2本の波線、3つの星からなる。

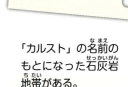

ヨーロッパ
日本からの距離
9420km

国名と英名
スロベニア共和国
Slovenia

首都
リュブリャナ

面積
2万km²
九州の半分くらい

人口
208万人

「カルスト」の名前のもとになった石灰岩地帯がある。

スロベニアの民族衣装。

国名略号…………SLO
言　語…………スロベニア語
通　貨…………ユーロ
日本への輸出品…医薬品、自動車、医療機器
国のようす………旧ユーゴスラビアのうちのひとつで、工業化が進んでいた。アルプス山脈南東部の山がちの国で、山と水が生み出した美しい風景が有名。世界中から観光客が集まる。

セーシェル

インド洋のリゾート・アイランド。
115もの島じまが点在する

アフリカ
日本からの距離
9800km

国名と英名
セーシェル共和国
Seychelles

首都
ビクトリア

面積
457km²
淡路島の8割くらい

人口
10万人

国旗の意味
左下から放射状に色をならべたデザインは未来へ向かう国の力をしめす。青は空と海、黄は太陽、赤は統一と未来へ向けた決意、白は調和と正義、緑は豊かな大地と自然をあらわしている。

世界一大きい種子、フタゴヤシの実。

美しい海と島は「インド洋の真珠」とよばれる。

国名略号…………ＳＥＹ
言　語…………英語、フランス語、クレオール語
通　貨…………セーシェル・ルピー
日本への輸出品……マグロ
国のようす…………アフリカ東岸から1300kmはなれたインド洋にうかぶ島じま。美しい海をめあてに世界中から観光客が来るほか、漁業や農業もさかんで、アフリカではトップクラスの豊かな国。

赤道ギニア

カメルーン沖の小さな島と、
アフリカ大陸とに国土がわかれる

アフリカ
日本からの距離
1万3300km

国名と英名
赤道ギニア共和国
Equatorial Guinea

首都
マラボ

面積
2万8000km²
九州の8割くらい

人口
140万人

国旗の意味
青は大西洋、横しまの緑は農業、白は平和、赤は独立の戦いで流れた血をしめしたもの。中央は実から繊維がとれるパンヤの木。上には6つの地域をしめす星がならぶ。

公用語のスペイン語で、こんにちは。
オラ Hola!

油田やガス田の開発が進む。

国名略号…………ＧＥＱ
言　語…………スペイン語、フランス語、ポルトガル語、ファン語、ブビ語
通　貨…………ＣＦＡフラン
日本への輸出品……天然ガス
国のようす…………国名は赤道に近いギニア湾にある国という意味でつけられた。島と大陸に国土がわかれ、首都はビオコ島にあるが住民の多くは大陸部にすむ。油田やガス田が開発され、急成長している。

セネガル

アフリカ大陸の最も西にある国。
国民の多くがイスラム教徒

国旗の意味

緑・黄・赤はアフリカの国に多い「汎アフリカ色」。緑は農業と希望、黄色は富、赤は独立のために流された血をしめす。中央におかれた星は、アフリカの自由のシンボル、または統一をあらわしたもの。

アフリカ
日本からの距離
1万3940km

国名と英名
セネガル共和国
Senegal

首都
ダカール

面積
19万7000km²
日本の半分くらい

人口
1674万人

バオバブ
アフリカとオーストラリアのサバンナに特有な木。

きれいに彩色された小舟で漁に出る。

国名略号…………SEN
言　語…………フランス語、ウォロフ語、各民族語
通　貨…………CFAフラン
日本への輸出品…タコ、鉱石、銅
国のようす………1960年フランスから独立。サハラ砂漠のへりにあり乾燥しがちな気候だが、雨がふる雨季もある。このような地域を「サヘル」とよぶ。首都は、かつて「パリ・ダカール・ラリー」で知られた都市。

セルビア

かつての社会主義国家ユーゴスラビアの
中核だった国

国旗の意味

順番はスロベニアやロシアと逆だが、色は同じ「汎スラブ色」。赤は血の犠牲、青は空、白はかがやく光をあらわす。双頭のワシがえがかれた紋章は、セルビア王国の国章だったもの。

ヨーロッパ
日本からの距離
9200km

国名と英名
セルビア共和国
Serbia

首都
ベオグラード

面積
7万7000km²
北海道と同じくらい

人口
693万人

住民の多くはキリスト教のセルビア正教徒。

АБВГ
ДЕЁЖ
ロシア語などと同じキリル文字を使う。

国名略号…………SRB
言　語…………セルビア語、ハンガリー語
通　貨…………ディナール
日本への輸出品…紙巻タバコ、化学製品、ベリー類
国のようす………ユーゴスラビアの中心的な役割をはたしていたが、1991年にはじまった各国の分離・独立で、2006年に「セルビア共和国」となる。クロアチアとはほとんど同じ言葉だが、文字が異なる。

セントクリストファー・ネービス

南北アメリカのなかで
人口・面積ともにいちばん小さい国

北アメリカ
日本からの距離
1万3690km

国名と英名
セントクリストファー・ネービス（セントキッツ・ネービス）
Saint Christopher and Nevis

首都
バセテール

面積
261km²
淡路島の4割くらい

人口
5万人

国旗の意味
中央にならんだ星は、国を構成する2つの島をしめし、希望と自由を象徴する。緑は豊かな国土と農業、黄色は太陽の輝きと豊かさ、黒は国民、赤は植民地からの解放をあらわしている。

セントクリストファー島は、クリストファー・コロンブスの名前に由来。

豪華客船での観光もさかん。

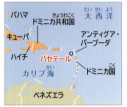

国名略号………SKN
言　　語………英語
通　　貨………東カリブ・ドル
日本への輸出品…電子部品
国のようす………セントクリストファー島とネービス島の2つの火山島からなる。熱帯雨林とビーチがリゾートとして人気。サトウキビ栽培にかわって、電気機器の組み立てがおもな産業。

セントビンセント及びグレナディーン諸島

海賊たちが航海していたころの
カリブ海の風景を残す島じま

北アメリカ
日本からの距離
1万4170km

国名と英名
セントビンセント及びグレナディーン諸島
Saint Vincent and the Grenadines

首都
キングスタウン

面積
389km²
淡路島の7割くらい

人口
11万人

国旗の意味
中央のV字にならべられたひし形は、「ビンセント」の頭文字であり、「多くの島じま」をしめしたもの。青は空とカリブ海、黄色は太陽と国土、緑は豊かな植物をあらわしている。

ウコンの仲間からとるクズ粉は世界最大の生産量。

有名な海賊映画のロケ地にもなった。

国名略号………VIN
言　　語………英語、セントビンセント・クレオール語
通　　貨………東カリブ・ドル
日本への輸出品…マグロ
国のようす………火山島のセントビンセント島とサンゴ礁の小さな島じまのグレナディーン諸島からなる。セントビンセント島では農業などが、サンゴ礁の島じまはリゾート観光でにぎわう。

セントルシア

植民地時代、イギリスとフランスの間で
領有権が14回も変わったカリブ海の島

国名と英名
セントルシア
Saint Lucia

首都
カストリーズ

面積
539㎢
淡路島の9割くらい

人口
18万人

国旗の意味

青い地色は大西洋とカリブ海を、中央の三角形は火山島であることをあらわしている。三角形の、黄色は太陽の光と黄金の砂浜、白と黒はヨーロッパ系とアフリカ系の国民をしめす。

世界遺産、ふたご火山のピトン。

農業はバナナが中心。

国名略号………LCA
言　　語………英語、セントルシア・クレオール語
通　　貨………東カリブ・ドル
日本への輸出品…とくになし
国のようす………国名はコロンブスがこの島を見つけたのが、聖ルシアの祝日だったからと伝わる。熱帯雨林におおわれた火山島。パトワ語とはヨーロッパの言語とアフリカ系の言語から生まれた現地語のこと。

ソマリア

国連やアメリカの介入でも止まらなかった内戦で
国土の荒廃が続く

国名と英名
ソマリア連邦共和国
Somalia

首都
モガディシュ

面積
63万8000㎢
日本の1.7倍くらい

人口
1589万人

国旗の意味

水色は独立時に国連が果たした功績をたたえるために、国連の旗にあわせたもの。中央の星は、アフリカの自由と統一のシンボルであり、ソマリ人のすむ5つの地方もあらわしている。

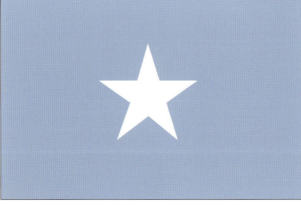

内戦にはアメリカ軍も介入した。

沿岸では漁業がいとなまれる。

国名略号………SOM
言　　語………ソマリ語、アラビア語
通　　貨………ソマリア・シリング
日本への輸出品…肝油、イカ、ゴマ
国のようす………1991年から内戦が継続。国が大きく3つにわかれ、無政府状態が続いていた。2012年国連など国際的支援で政府が樹立したが、不安定な状態が続いている。

ソロモン諸島

「伝説のソロモン王の財宝がねむる島じま」と
スペイン人が名づけた

国旗の意味

青は川や太平洋などの豊かな水資源を、黄色は太陽の光、緑は植物のしげる国土をしめす。5つの星は南十字星で、国の主要5地域もあらわす。

国名と英名
ソロモン諸島
Solomon Islands

首都
ホニアラ

面積
2万9000km²
九州の8割くらい

人口
69万人

オセアニア
日本からの距離
5430km

太平洋の南西部、メラネシアとよばれる地域。

旧約聖書に登場するソロモン王。

国名略号………SOL
言　　語………英語、ピジン英語
通　　貨………ソロモン・ドル
日本への輸出品…魚粉、マグロ
国のようす………100をこえる小さな島じまからなる国。第二次世界大戦中、日本とアメリカがはげしく戦ったガダルカナル島がある。おもな産業は漁業、林業、農業で、近海はマグロやカツオの漁場。

パターンがある国旗の図形

分割図形・幾何学図形が基本

国旗で使用されている図形には、いくつかのパターンがあり、紋章学でいう分割図形、幾何学図形が基本パターンとなっている。

最も多く見られる分割図形

分割図形とは、タテ、ヨコ、斜めの線で四角形を分割したものである。分割図形の基本パターンには「2分割旗」「3分割旗」「4分割旗」があり、これらが発展したものに「三角旗」「横T字旗」などがある。

幾何学図形は多種多様

左上に小さな四角形を配した「カントン旗」や、キリスト教国をしめす「ギリシャ十字旗」「スカンジナビア十字旗」「X十字旗」などの「十字旗」、日の丸の「中央円形旗」、「斜め帯旗」などがある。

●分割図形

2分割旗（タテ）
アルジェリア

2分割旗（ヨコ）
ウクライナ

3分割旗（タテ）
イタリア

3分割旗（ヨコ）
ドイツ

4分割旗
パナマ

三角旗
フィリピン

横T字旗
マダガスカル

●幾何学図形

カントン旗
アメリカ

十字旗
ジョージア

ギリシャ十字旗
スイス

スカンジナビア十字旗
フィンランド

X十字旗
ジャマイカ

中央円形旗
日本

斜め帯旗
トリニダード・トバゴ

タイ

植民地にならず独立を守った東南アジアでただひとつの国

日本からの距離 4600km
アジア

国名と英名
タイ王国
Thailand

首都
バンコク

面積
51万3000km²
日本の1.4倍くらい

人口
6980万人

国旗の意味

上下の赤は国民、中心の青はタイ王家をしめし、白は昔からタイで神聖なものとされてきた白い象に由来し、仏教をあらわしている。昔の国旗は、赤地に白い象だった。

タイの正月は4月。国中が水かけ祭りでもりあがる。

バンコクの王宮

- 国名略号……THA
- 言　語……タイ語
- 通　貨……バーツ
- 日本への輸出品…電気機器、自動車、電話機、とり肉
- 国のようす……1980年代から経済成長を続け、日本からの企業進出や観光客の行き来もさかんな国。一方では、軍によるクーデターを何度も経験しており、政治は安定していない。仏教徒がほとんど。

タジキスタン

古くからアジアとヨーロッパを結ぶ交易路が通っていた中央アジアの山国

アジア
日本からの距離 6150km

国名と英名
タジキスタン共和国
Tajikistan

首都
ドゥシャンベ

面積
14万3000km²
北海道の1.7倍くらい

人口
954万人

国旗の意味

赤は労働者を、白は純潔を、緑はイスラム教をあらわしている。中央にえがかれている金色のかんむりと7つの星は、国の主権と国民の団結、となりの国ぐにとの友好をしめしている。

パミール高原の最高峰、イスモイル・ソモニ山。

他国での出稼ぎが経済をささえている。

- 国名略号……TJK
- 言　語……タジク語、ロシア語
- 通　貨……ソモニ
- 日本への輸出品…甘草エキス
- 国のようす……国の東側は「世界の屋根」ともいわれるパミール高原で、7000m級の山もある。周辺の国ぐにではチュルク（トルコ）語系の言葉を話すが、タジク語はペルシャ（イラン）語に近い言語。

タンザニア

広大なサバンナや多くの火山をもつ
アフリカでも有数の大自然に恵まれた国

アフリカ
日本からの距離
1万1390km

国名と英名
タンザニア連合共和国
Tanzania

首都
ダルエスサラーム
（法律上の首都はドドマ）

面積
94万7000km²
日本の2.5倍くらい

人口
5973万人

国旗の意味

タンガニーカとザンジバルが連合してできた国で、2つの国旗の組みあわせ。緑は国土と農業、黄色は鉱物資源、黒は国民、青はインド洋をしめしている。

アフリカ最高峰
キリマンジャロ山と
アフリカゾウ。

コーヒーの
キリマンジャロは
代表的品種。

国名略号……………ＴＡＮ
言　　語……………スワヒリ語、英語
通　　貨……………タンザニア・シリング
日本への輸出品……コーヒー、ゴマ、タバコ
国のよう　す………アフリカ大陸東部のタンガニーカと、その沿岸の島じま、ザンジバルからなる。セレンゲティやンゴロンゴロなど、国立公園や保護区が多い。近年経済は順調にのびている。

チェコ

中央ヨーロッパの歴史ある工業国。
首都プラハは観光客でにぎわう

ヨーロッパ
日本からの距離
9090km

国名と英名
チェコ共和国
Czech Republic

首都
プラハ

面積
7万9000km²
北海道と同じくらい

人口
1071万人

国旗の意味

白・青・赤の「汎スラブ色」の国旗。チェコスロバキア時代に制定されたものを引き続き使っていて、白と赤はチェコを構成するモラヴィアとボヘミア、青はスロバキアをあらわす色でもある。

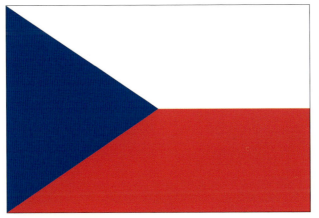

名産品のガラス工芸
「ボヘミアン・グラス」。

プラハの観光名所、
カレル橋。

国名略号……………ＣＺＥ
言　　語……………チェコ語
通　　貨……………チェコ・コルナ
日本への輸出品……自動車、自動車部品
国のよう　す………国土の西側はボヘミア地方、東側はモラヴィア地方とよばれている。スロバキアとともに「チェコスロバキア」という国をつくっていたが、1993年に分離・独立。工業国として成長してきた。

チャド

サハラ砂漠の南の盆地にある内陸国。
国土の半分以上が砂漠地帯

国旗の意味
かつての統治国のフランスの三色旗を参考に、青は空と希望、黄色は太陽と地下資源、赤は国家の進歩の象徴として色を決めたもの。

アフリカ 日本からの距離 1万2160km

国名と英名
チャド共和国
Chad

首都
ンジャメナ

面積
128万4000km²
日本の3.4倍くらい

人口
1643万人

気候変動や灌漑で小さくなったチャド湖。

北にはサハラ砂漠が広がり、中部はサヘルとよばれる地域。

国名略号	CHA
言語	フランス語、アラビア語など
通貨	CFAフラン
日本への輸出品	アラビアゴム
国のようす	1960年フランスから独立した。その後もクーデターや内戦がくり返され、不安定な状態が続いている。スーダン系の民族で、北部ではイスラム教徒が、南部ではキリスト教徒などが多い。

中央アフリカ

サバンナが広がる、大陸のまん中の国。
フランスから独立したが、混乱がおさまらない

国旗の意味
赤・白・青のフランス三色旗の色と、赤・黄・緑の「汎アフリカ色」を組みあわせたもの。赤は情熱、青は希望、白は理想、緑は農業、黄色は天然資源をあらわしている。

アフリカ 日本からの距離 1万2460km

国名と英名
中央アフリカ共和国
Central African Republic

首都
バンギ

面積
62万3000km²
日本の1.6倍くらい

人口
483万人

イスラム教とキリスト教の宗教対立が、混乱を深めている。

1960年の独立以来、紛争が絶えない。

国名略号	CAF
言語	フランス語、サンゴ語、その他部族語
通貨	CFAフラン
日本への輸出品	木材
国のようす	中部から北部はサバンナが広がり、南部は熱帯雨林になっている。独立以来、クーデターでの大統領交代がくり返されている。国連の支援が続けられているが、国内は不安定のまま。

中国

世界で1位の人口と2位の経済規模をもつアジアの超大国

日本からの距離 2100km
アジア

国名と英名
中華人民共和国
People's Republic of China

首都
ペキン（北京）

面積
約960万km²
日本の25倍くらい

人口
14億3932万人

国旗の意味

「五星紅旗」ともよばれる。赤は共産主義を象徴、5つの星も共産主義をしめしたもので、大きな星は共産党との団結、小さな星は農民、労働者、知識階級、愛国的資本家をあらわす。

万里の長城

アメリカに次ぐ経済規模。

国名略号‥‥‥‥CHN
言　語‥‥‥‥中国語
通　貨‥‥‥‥人民元
日本への輸出品‥‥電気機器、機械、電話機、衣類など
国のようす‥‥‥世界の2割近くをしめる人口。古代から4000年にもなる歴史をもち、1921年に創立した中国共産党の一党政治体制をとる。1980年ころにはじまる経済の改革開放によって成長をとげた。

チュニジア

政権を交代させた民主化運動「アラブの春」のさきがけとなった

アフリカ
日本からの距離 1万440km

国名と英名
チュニジア共和国
Tunisia

首都
チュニス

面積
16万4000km²
北海道の2倍くらい

人口
1182万人

国旗の意味

赤地の中心に白い丸をえがき、イスラム教の象徴で幸運のシンボルとしても使われてきた三日月と星の印をかき入れている。

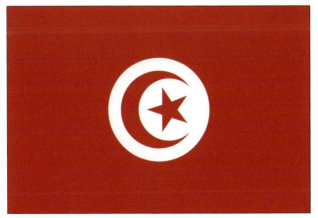

2010年からはじまった民主化運動。ジャスミン革命ともよばれる。

紀元前にさかえたカルタゴの遺跡。

国名略号‥‥‥‥TUN
言　語‥‥‥‥アラビア語、フランス語
通　貨‥‥‥‥チュニジア・ディナール
日本への輸出品‥‥マグロ、衣類、ナツメヤシ
国のようす‥‥‥古代ローマ時代にこの地をアフリカとよんだ。1956年独立。近代化・西欧化を進めたが、2010年からの民主化運動で政権交代がおこる。この運動はイスラムのアラブ諸国に影響を与えた。

チリ

南アメリカや太平洋沿岸の国ぐにと経済協定を結ぶ貿易先進国

南アメリカ
日本からの距離
1万7240km

国名と英名
チリ共和国
Chile

首都
サンティアゴ

面積
75万6000km²
日本の2倍くらい

人口
1912万人

国旗の意味

青は空、白はアンデスの雲。赤は独立に流された血をしめす。白い星は国家の統一と進歩、名誉をあらわす。色あいがアメリカの星条旗に似ているのは、独立を支援したアメリカの兵士がデザインしたためといわれる。

サーモンやワインが重要な輸出品。

巨大な穴をほる露天掘り鉱山、チュキカマタ銅山。

国名略号……CHI
言語……スペイン語
通貨……ペソ
日本への輸出品……銅、サーモン、モリブデン鉱、木材
国のようす……南アメリカ大陸の西岸にあり、南北の長さは約4300kmにおよぶ。亜熱帯からツンドラまで変化に富む気候。軍事政権から1990年に民政に移行。鉱産資源を基盤にした経済成長が続いている。

ツバル

環礁など9つの島からなる南半球の国。働き手の多くは国外で出稼ぎ

オセアニア
日本からの距離
6410km

国名と英名
ツバル
Tuvalu

首都
フナフティ

面積
26km²
皇居の23倍くらい

人口
1万人

国旗の意味

左上のイギリス国旗は、イギリス連邦の一員であることをしめしている。水色は太平洋を、黄色の9つの星はツバルを構成する島をあらわす。

海抜が最高5mほど。
高波の被害もしばしば。

首都があるフナフティ環礁。

国名略号……TUV
言語……英語、ツバル語
通貨……オーストラリア・ドル
日本への輸出品……マグロ、カツオ
国のようす……海抜が低く、海面上昇や地盤沈下によって、水没の危機にさらされている。産業はふるわず、インターネットで使われている国のドメイン名の権利を売るなど、きびしい財政を強いられている。

デンマーク

**高い品質をめざした農産物づくりや
クリーン・エネルギーへの転換を進める**

ヨーロッパ
日本からの距離
8710km

国名と英名
デンマーク王国
Denmark

首都
コペンハーゲン

面積
4万3000km²
九州の1.2倍くらい

人口
579万人

国旗の意味

現在使われている世界の国旗のなかで、最も古い歴史をもつといわれ、「ダンネブロ旗（赤い旗）」の名前をもつ。1219年、エストニアとの戦いのとき、空からふってきたという伝説がある。

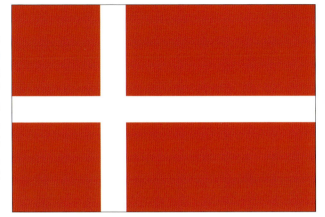

国内の3～4割をまかなう風力発電大国。

農産物輸出国で、日本では豚肉を輸入。

国名略号 …………… ＤＥＮ
言　　語 …………… デンマーク語
通　　貨 …………… デンマーク・クローネ
日本への輸出品 …… 医薬品、肉類、チーズ
国のようす ………… ユトランド半島と近くの島じまからなる。北海油田をもちエネルギー自給率は100％をこえるが、クリーン・エネルギーへの転換を進めている。ＥＵ加盟国であるが、ユーロ導入をしていない。

ドイツ

**さまざまな難題に直面する
ＥＵのリーダー的国家のひとつ**

ヨーロッパ
日本からの距離
8940km

国名と英名
ドイツ連邦共和国
Germany

首都
ベルリン

面積
35万8000km²
日本の9割くらい

人口
8378万人

国旗の意味

1848年に定められたドイツ連邦の旗が原型。一般に、黒は勤勉、赤は熱血、黄色は栄誉をしめすといわれるが、もともとは19世紀にドイツを統一したプロイセンの黒い軍服、赤い肩章、金色のボタンにもとづくという説も。

秋には各地でビール祭りがひらかれる。

有名な自動車メーカーが多い。

国名略号 …………… ＧＥＲ
言　　語 …………… ドイツ語
通　　貨 …………… ユーロ
日本への輸出品 …… 自動車、医薬品、一般機械
国のようす ………… 第二次世界大戦後、東西ドイツに分断されていたが、1990年に再統一された。世界第4位の経済大国で、技術の国として名高い。長く移民を受け入れてきた歴史をもつ。

トーゴ

アフリカでおこっている紛争の調停など
積極的な外交交渉を得意とする

国旗の意味

緑・黄・赤の「汎アフリカ色」を使っている。赤は独立で流された国民の血、緑は希望と大地の恵み、黄色は鉱物資源と精神の向上をしめす。白い星は永遠を、5本の帯は5つの地域をあらわす。

国名と英名	トーゴ共和国 Togo
首都	ロメ
面積	5万7000km² 九州の1.5倍くらい
人口	828万人

鮮やかな服を着た女性。

民芸品のお面。

国名略号……TOG
言語……フランス語、エヴェ語、カブエ語
通貨……CFAフラン
日本への輸出品…銅、ゴム
国のようす……綿花やコーヒーなどを輸出するが、経済は低調で世界でも貧しい国のひとつ。1960年フランスから独立。植民地時代に、西部が分割され、今のガーナに編入されたため、細長くなった。

ドミニカ共和国

アメリカ大陸で最初の
ヨーロッパ人の都市が国のはじまり

国旗の意味

青は平和、赤は祖国、白は自由を意味している。中央の国章には、聖書とそのまわりを月桂樹とシュロの葉、国名などを記したリボンが配置されている。

国名と英名	ドミニカ共和国 Dominican Republic
首都	サントドミンゴ
面積	4万9000km² 九州の1.3倍くらい
人口	1085万人

広場にたつコロンブスの銅像。

ビーチ・リゾートが多い。

国名略号……DOM
言語……スペイン語
通貨……ドミニカ・ペソ
日本への輸出品…医療機器
国のようす……首都サントドミンゴは、コロンブスが到達してから、はじめてできた植民都市。以後、ここを拠点にアメリカ大陸の植民地化が進められた。スペインの聖人、聖ドミニコが名前の由来。

ドミニカ国

カリブ海の植物園とよばれる緑豊かな火山島

国旗の意味

緑は豊かな森林と農業を、黄・黒はそれぞれ先住民とアフリカ系黒人を、白は純潔をしめし、十字をえがくことでキリスト教の信仰もあらわす。鳥は国鳥のミカドボウシインコ。10の星は10の地方をしめす。

国名と英名
ドミニカ国
Dominica

首都
ロゾー

面積
750km²
淡路島の1.3倍くらい

人口
7万人

西インド諸島では数少ない先住民のカリブ族が残る。

あざやかなカイメンなどがカリブ海の特徴。

国名略号……………DMA
言　　語……………英語、フランス語系パトワ語
通　　貨……………東カリブ・ドル
日本への輸出品……はきもの
国のようす…………山深い火山島の国。バナナ中心の農業と観光業がわずかな産業。国鳥のミカドボウシインコはドミニカ島の固有種で、標高の高い原生林にすむ大型のインコ。

トリニダード・トバゴ

カリプソ音楽とスティールパンを生み出したカーニバルの国

国旗の意味

赤は太陽や国民の生活力、友情や勇気をあらわし、斜めの線で区切ることで2つの島を意味する。白は海や平等、向上心を、黒は国民の豊かさや力強さなどをあらわす。

国名と英名
トリニダード・トバゴ共和国
Trinidad and Tobago

首都
ポート・オブ・スペイン

面積
5127km²
東京都の2.3倍くらい

人口
140万人

インド系住民も多く、カレーも一般的。

石油のドラム缶からできたスティールパン。

国名略号……………TTO
言　　語……………英語、ヒンディー語、フランス語、スペイン語
通　　貨……………トリニダード・トバゴ・ドル
日本への輸出品……メタノール、銅
国のようす…………トリニダード島とトバゴ島の2つの島と、そのほかの小島からなる。1962年イギリスから独立。アフリカ系とインド系の住民が4割ずつくらす。石油と天然ガスの資源がある。カーニバルが有名。

トルクメニスタン

**1991年ソ連から独立、永世中立を宣言。
近年は中国と関係を深める**

国旗の意味

緑色と三日月、星はイスラムの象徴。星が5つあるのは、国民の代表的な部族の数をあらわしている。左の帯は伝統的なじゅうたんの模様で、これも5つの部族を意味している。

国名と英名	トルクメニスタン Turkmenistan
首都	アシガバット
面積	48万8000km² 日本の1.3倍くらい
人口	603万人

日本からの距離 7010km

民族衣装でかざった女性。

中国で「汗血馬」とよばれた名馬、アハルテケの産地。

- 国名略号……TKM
- 言語……トルクメン語、ロシア語
- 通貨……マナト
- 日本への輸出品……じゅうたん
- 国のようす……国土の多くを砂漠がしめ、住民は南部の山沿いにすむ。トルクメン語は、となりのイランよりもトルコ語に近いことば。豊富な石油や天然ガスがあり、天然ガスの埋蔵量は世界第4位。

トルコ

**アジアからヨーロッパにかけて
広大な領土をもつ大国だった、イスラム教徒の国**

国旗の意味

オスマン帝国時代から使われている「新月旗」とよばれる国旗。赤地に、イスラム教の象徴である白い三日月と星。

国名と英名	トルコ共和国 Turkey
首都	アンカラ
面積	78万1000km² 日本の2.1倍くらい
人口	8434万人

日本からの距離 8780km

古くからある、イスラム教の舞踊教団のおどり。

アジアとヨーロッパをわける、ボスポラス海峡。今は橋がかかる。

- 国名略号……TUR
- 言語……トルコ語
- 通貨……トルコ・リラ
- 日本への輸出品……マグロ、スパゲッティ、自動車
- 国のようす……第一次世界大戦まで、アジアからヨーロッパに勢力を広げたオスマン帝国が成立。大戦で負け、1923年トルコ共和国となった。古くから東西文明の交差点としてさかえてきた。

トンガ

オセアニアで唯一の王国。
文化的・経済的に日本との結びつきも強い

国旗の意味

赤い十字は敬虔なキリスト教徒が多いことのあらわれ。赤い地色は人々のために流されたキリストの血、白は純粋な信仰心をしめしている。

オセアニア
日本からの距離
7880km

国名と英名
トンガ王国
Tonga
首都
ヌクアロファ
面積
747km²
淡路島の1.3倍くらい
人口
11万人

南太平洋の国ぐにでは、ラグビーがさかん。

カボチャは日本向けの輸出作物。

国名略号………TGA
言語………トンガ語、英語
通貨………パアンガ
日本への輸出品………海そう、マグロ、カボチャ
国のようす………1845年にポリネシア人の王国ができ、のちにイギリスの保護領となる。1970年独立。産業は農業、漁業と観光があるが、国の経済は海外援助や出稼ぎ者からの送金にたよっている。

色には大きな意味がある

民族、信仰、風土などがカラーに反映

国旗の配色にも規定はなく、信仰、宗教、風土などに関係するカラーが強く反映されている。代表的なのがトリコロールとよばれるフランスの三色旗で、一般的に青が自由、白が平等、赤が博愛を意味するといわれている。

民族的・歴史的背景からの配色が共通

同じ民族であったり、歴史や文化などを共有する背景から、国旗の配色が共通している例も多い。

●アラブ・イスラム

黒・白・赤・緑の配色が多い。アラブ・イスラムにかかせないシンボルカラーで、オスマン帝国支配に対する反乱旗が起源。

アラブ首長国連邦　イラク　スーダン　ヨルダン

●アフリカ

緑・黄・赤の配色が多い。アフリカ独立のシンボルカラーで、唯一独立を維持し続けたエチオピアの国旗カラーがもとといわれる。

エチオピア　カメルーン　コンゴ　トーゴ

●スラブ

白・青・赤の配色はスラブ系民族の国に多く、オランダの配色にならったロシア帝国の旗がもと。フランスと同様に自由・平等・博愛の精神をあらわす。

ロシア　クロアチア　セルビア　チェコ

●色があらわしているおもな意味

白…平等、清廉、純潔
青…自由、知性、水(海や川など)
赤…博愛、情熱、愛国心、犠牲者の血、共産主義
緑…イスラムのシンボルカラー、大地、楽園
黄…太陽、黄金、国土、豊穣
黒…独立、肌の色

ナイジェリア

石油収入で急成長し、アフリカで最も人口が多い経済大国となる

国旗の意味
緑・白・緑の国旗は、独立時に一般公募で選ばれたもの。緑は豊かな森林資源と農地、白は平和と全国民の一致をしめし、3つにわかれているのは、おもな民族の数をあらわす。

アフリカ
日本からの距離 1万2990km

国名と英名
ナイジェリア連邦共和国
Nigeria

首都
アブジャ

面積
92万4000km²
日本の2.4倍くらい

人口
2億614万人

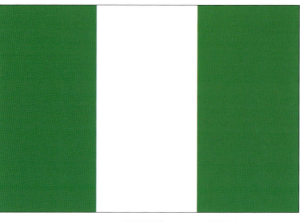

大都市ラゴスではバスが通勤の足。

早くから油田開発が進んだ。

国名略号……NGR（エヌジーアール）
言　語……英語、各民族語
通　貨……ナイラ
日本への輸出品……天然ガス、アルミニウム合金、ゴマ
国のようす……国名はニジェール川沿いであることから、これを英語であらわしたもの。輸出の9割が原油。経済規模でアフリカ第1位に成長したが、3大民族の対立など国内問題を多くかかえている。

ナウル

たよっていたリン鉱石がなくなり自給自足のくらしをしている島国

国旗の意味
青は太平洋を、黄色の線は赤道。その下にえがかれた星が、赤道のわずかに南にあるナウル島をしめしている。

オセアニア
日本からの距離 4910km

国名と英名
ナウル共和国
Nauru

首都
ヤレン

面積
21km²
皇居の18倍くらい

人口
1万人

アホウドリなどのフンが積もってきたリン鉱石が島をおおっていた。

ひとつの島からなる、世界で3番目に小さな国。

国名略号……NRU（エヌアールユー）
言　語……英語、ナウル語
通　貨……オーストラリア・ドル
日本への輸出品……マグロ
国のようす……1968年に独立。リン鉱石の輸出で豊かな国だったが、1990年代には採りつくされてしまった。ほかの産業もなく、国の財政はとても苦しいと考えられている。

ナミビア

世界最古といわれる
ナミブ砂漠からとった国名

国旗の意味

青は太平洋、斜めに横切る赤は独立のために流された血、緑は農業をあらわしている。金色の太陽は、独立の喜びをしめしたもの。

アフリカ
日本からの距離
1万4340km

国名と英名
ナミビア共和国
Namibia

首都
ウィントフック

面積
82万4000km²
日本の2.2倍くらい

人口
254万人

ダイヤモンド

赤い色が特徴のナミブ砂漠。

国名略号……NAM
言語……英語、アフリカーンス語、ドイツ語、各部族語
通貨……ナミビア・ドル
日本への輸出品……マグロ、イセエビ、魚粉
国のようす……長く南アフリカの支配下におかれ、1966年に独立戦争がはじまる。独立をはたしたのは1990年。牧畜とダイヤモンドやウランなどの鉱業が主。貧富の差が大きいとされる。

ニウエ

2015年日本が国として承認した
南太平洋の島国

国旗の意味

黄色は南太平洋の太陽の光と気持ちの温かさをあらわし、イギリスのユニオン・ジャックの上におかれている星は、南十字星と自治の象徴。

オセアニア
日本からの距離
8060km

国名と英名
ニウエ
Niue

首都
アロフィ

面積
260km²
淡路島の4割くらい

人口
2000人

美しい海を観光資源に。

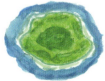
ニウエ島はサンゴ礁が隆起した台地状の島。

国名略号……NIU
言語……ニウエ語、英語
通貨……ニュージーランド・ドル
日本への輸出品……果実ジュース
国のようす……農業はパッションフルーツなどの熱帯果実、ヤムイモなど。自由連合を結んでいるニュージーランドに働きに出てしまう人が多く、人口がますます減少している。観光業の開発に期待がかかる。

ニカラグア

中央アメリカで最も大きい国。内戦で乱れた経済の立て直しが続く

北アメリカ
日本からの距離
1万2850km

国名と英名
ニカラグア共和国
Nicaragua

首都
マナグア

面積
13万km²
北海道の1.6倍くらい

人口
662万人

国旗の意味

青・白・青のデザインは、かつての中央アメリカ連邦のなごり。2つの青は太平洋とカリブ海、白は国土と正義をしめす。紋章には連邦時代の5カ国をしめす山と、赤い自由の帽子。

マナグア湖畔にそびえるモモトンボ活火山。

レオン大聖堂

国名略号……… NCA
言語………… スペイン語
通貨………… コルドバ
日本への輸出品…… コーヒー、肉類、ゴマ
国のようす………… スペインからの独立で、最初に中央アメリカ連邦という大きな国ができたが、その後1838年にニカラグアとして独立した。1970年代から長く続いた内戦のために国内は乱れた。

ニジェール

サハラ砂漠の南のへりに位置し、干ばつ被害が多く発生

アフリカ
日本からの距離
1万2970km

国名と英名
ニジェール共和国
Niger

首都
ニアメ

面積
126万7000km²
日本の3.4倍くらい

人口
2421万人

国旗の意味

オレンジ色はサハラ砂漠と独立、白は平和と純粋さ、緑は砂漠の南に広がるサヘルの植物をあらわしている。オレンジ色の丸は太陽。

ウランを精製して輸出。

サバクトビバッタが大発生し、農作物を食べ荒らす。

国名略号……… NIG
言語………… フランス語、ハウサ語
通貨………… CFAフラン
日本への輸出品…… ゴム、銀製の装身具
国のようす………… サハラ砂漠の南で半乾燥の気候。恵みをもたらすニジェール川を、フランス語であらわした国名をもつ。ウラン採掘は重要な産業で、働いている人の約2割はウラン関連の仕事につく。

日本
にほん（にっぽん）

**GDP世界第3位の経済大国。
アジアではじめて近代国家となった**

国旗の意味
「日の丸」は昔から使われてきたが、江戸時代の末に船で使われ、明治に入って国旗とされた。赤は博愛と活力、白は神聖と純潔をしめすともいう。

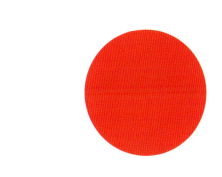

アジア

国名と英名	
日本国（にっぽんこく）	Japan

首都 東京

面積 37万8000km²

人口 1億2648万人

外国人からも人気のサクラ。

富士山

国名略号……JPN
言　　語……日本語
通　　貨……円
国のようす……北の亜寒帯から南の亜熱帯まで、変化に富んだ気候と生態系をもつ国は、世界でも数少ない。自動車や機械など製造業で経済を成長させてきた。

ニュージーランド

**映画のロケ地として成功し
その独特な風景に世界から観光客が集まる**

国旗の意味
イギリス連邦であることをしめすユニオン・ジャック、南半球の国で多い南十字星がえがかれている。オーストラリアとよく似た国旗だが、南十字星のえがき方にちがいがある。

オセアニア
日本からの距離
9250km

国名と英名	
ニュージーランド	New Zealand

首都 ウェリントン

面積 26万8000km²
日本の7割くらい

人口 482万人

カカポ
森にすむ飛べないオウム。

羊や牛の酪農がさかん。

国名略号……NZL
言　　語……英語、マオリ語、手話
通　　貨……ニュージーランド・ドル
日本への輸出品……キウイ、アルミニウム、チーズ
国のようす……北島と南島の2島と、周辺の多くの小さな島じまからなる。海洋の影響で比較的温暖な気候。先住民マオリの文化を守り、豊かな自然を生かした国づくりを進める。

ネパール

インドと中国にはさまれた
ヒマラヤ山脈への入山口の国

国旗の意味

四角形でない国旗はネパールだけ。白でえがかれた月と太陽はヒンドゥー教の旗によく使われる。青はヒマラヤに広がる空、赤は国民をあらわしている。

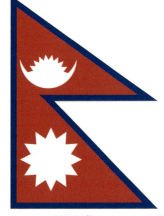

日本からの距離	5170km
	アジア
国名と英名	ネパール連邦民主共和国 Nepal
首都	カトマンズ
面積	14万7000km² 北海道の1.8倍くらい
人口	2914万人

エヴェレスト山
ネパールではサガルマータ山とよぶ。

仏教寺院
スワヤンブナート

国名略号…………NEP
言　語…………ネパール語
通　貨…………ネパール・ルピー
日本への輸出品…マフラーなど衣類
国のようす………国土の多くが「世界の屋根」とよばれる、けわしいヒマラヤ山脈。産業は小規模な農業が中心で、ヒマラヤ登山のガイドなど観光業がさかん。2008年に国王が退位し、共和制になった。

ノルウェー

北海でとれる石油と水産物に恵まれた
男女間の格差がとても少ない国

国旗の意味

かつてはデンマークの領土だったので、デンマーク国旗をもとに青い帯の十字が加えられた。赤・白・青の3色はフランスやアメリカにならい、自由をあらわしたもの。

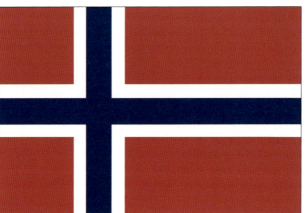

	ヨーロッパ 日本からの距離 8430km
国名と英名	ノルウェー王国 Norway
首都	オスロ
面積	38万6000km² 日本より少し大きい
人口	542万人

ブリッゲンの港町。

フィヨルドに突き出す岩、トロルトゥンガ（巨人の舌）。

国名略号…………NOR
言　語…………ノルウェー語
通　貨…………ノルウェー・クローネ
日本への輸出品…サーモン、魚の切り身、サバ、ニッケル
国のようす………海岸はほとんどがフィヨルドで、北部は北極圏。1905年独立。北海油田が発見されて、世界有数の原油輸出国になった。EUには加盟していない。

バーレーン

アラビア半島ではじめて石油生産を開始。
銀行や証券取引などの金融業の発展をめざす

日本からの距離 8290km
アジア

国名と英名
バーレーン王国
Bahrain

首都
マナーマ

面積
778km²
淡路島の1.3倍くらい

人口
170万人

国旗の意味

ギザギザの山形模様のデザインは、カタールと同じ。かつては山の数が多く、もっと似ていた。白は平和、赤はイスラム教のハワーリジュ派の象徴。

首都マナーマ
近代的ビルがたつ。

サウジとの間を結ぶ橋、キング・ファハド・コーズウェイ。

国名略号……… BRN
言　語……… アラビア語
通　貨……… バーレーン・ディナール
日本への輸出品…石油、石油製品、アルミニウム
国のようす………ペルシャ湾のバーレーン島と大小の島からなる。王家のハリーファ家は、サウジアラビア王家と同じ部族の出身で結びつきが強い。1971年イギリスから独立。2002年に立憲君主国となる。

ハ

ハイチ

先住民が「山ばかりの地」とよんだ島に
世界初、黒人の共和制国家が成立

北アメリカ
日本からの距離 1万3120km

国名と英名
ハイチ共和国
Haiti

首都
ポルトープランス

面積
2万8000km²
九州の8割くらい

人口
1140万人

国旗の意味

青と赤は、2つの民族集団であるアフリカ系黒人とムラート（白人と黒人の混血）をあらわす。中央には「自由の帽子」をかぶせたヤシの木を中心に、国旗や大砲、太鼓などがおかれている。

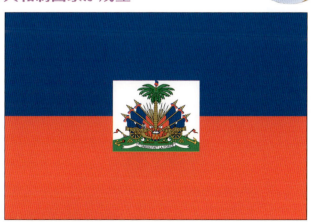

建国の父デサリーヌ
独立後、初の統治者になった。

斜面に家がかさなりたつスラム街。

国名略号……… HAI
言　語……… フランス語、ハイチ・クレオール語
通　貨……… グルド
日本への輸出品…衣類、コーヒー
国のようす………1804年フランスから独立。建国以来、クーデターや災害などがたびかさなり、経済活動が立ちゆかない状態が続いている。世界でも最も貧しい国のひとつといわれ、食糧不足が深刻。

パキスタン

インダス川流域の古代文明の地。
人口増加がはげしいイスラム教国

国旗の意味

緑はイスラム教の聖なる色であるとともに、この国の繁栄を。白はイスラム教以外の少数国民をしめすとともに、平和をあらわしている。月と星は、進歩と未来、知識と明るさをあらわす。

北部のパンジャブ地方は小麦の生産がさかん。

国名略号	PAK
言語	ウルドゥー語、英語
通貨	パキスタン・ルピー
日本への輸出品	有機化合物、繊維製品、綿糸
国のようす	イギリス統治下のインドの一部だったが、宗教対立がもとでインドから1947年分離・独立。インダス川流域以外は乾燥地で、山地のカシミール地方はインドと領有をめぐる係争地。

日本からの距離 5990km
アジア

国名と英名
パキスタン・イスラム共和国
Pakistan
首都
イスラマバード
面積
79万6000km²
日本の2.1倍くらい
人口
2億2089万人

インダス文明のモヘンジョ=ダロ遺跡。

バチカン市国

キリスト教カトリックの総本山。
1929年に主権国家として承認

国旗の意味

めずらしい正方形の旗。黄色と白の配色は、教皇の衣服の色といわれる。紋章は「ペテロの鍵」とよばれ、新約聖書マタイ伝に登場。教皇権のシンボルとされる。

カトリックのシンボル、ローマ教皇。

国名略号	VAT
言語	ラテン語、フランス語、イタリア語
通貨	ユーロ
日本への輸出品	とくになし
国のようす	イタリアのローマ市内にあり、国土はサン・ピエトロ大聖堂やバチカン宮殿などのいくつかの建物。「国民」は多くがカトリックの聖職者。使徒ペテロの墓所に大聖堂をたてたと伝わる。

ヨーロッパ
日本からの距離 9880km

国名と英名
バチカン市国（バチカン）
Vatican
首都
なし（都市国家）
面積
0.44km²
皇居の4割くらい
人口
820人

サン・ピエトロ大聖堂

パナマ

パナマ運河の拡張工事が完成。
貿易と金融業がさかん

国旗の意味
赤と青は、独立時に大政党だった自由党と保守党をあらわし、2つの党の協調をしめす。また赤い星は権威を、青い星は国への忠誠をあらわしている。

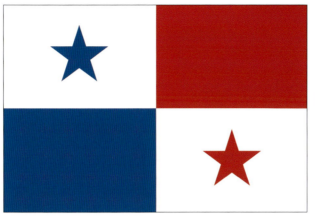

国名と英名
パナマ共和国
Panama

首都
パナマシティー

面積
7万5000km²
北海道の9割くらい

人口
431万人

北アメリカ
日本からの距離
1万3590km

ボクシング人気が高く、多くの世界チャンピオンを出した。

パナマ運河
年間1万4000隻もの船が通る。

- 国名略号 …………… PAN
- 言語 ………………… スペイン語
- 通貨 ………………… バルボア（硬貨のみ）、アメリカ・ドル
- 日本への輸出品 …… 銅鉱、タンカーなどの船
- 国のようす ………… アメリカによって建設されたパナマ運河は、1914年の開通から1999年に返還されるまで、アメリカが管理していた。通貨にアメリカ・ドルを導入し、金融業をはじめ第3次産業が成長している。

バヌアツ

世界に広まったバンジーのふるさと。
火山の島じまがつらなる

国旗の意味
赤は太陽と国民の団結、緑は国土をおおう森、黒は豊かな土壌、そのなかに引かれた黄色の線はキリスト教の信仰をあらわす。富のシンボルである丸いブタの牙と、なかのヤシの葉は平和をしめす。

国名と英名
バヌアツ共和国
Vanuatu

首都
ポートビラ

面積
1万2000km²
東京都の5倍くらい

人口
31万人

オセアニア
日本からの距離
6640km

バンジー・ジャンプ
小さな島の成人の儀式がおおもと。

文字のない時代から、伝承されてきた砂絵。

- 国名略号 …………… VAN
- 言語 ………………… ビスラマ語、英語、フランス語
- 通貨 ………………… バツ
- 日本への輸出品 …… カツオ、マグロ
- 国のようす ………… 1980年までイギリスとフランスが共同統治していた。熱帯雨林をもつ80以上の島じまからなる。およそ半分は火山島で、現在も火山活動が活発。近くでは大きな地震も数多くおきる。

バハマ

アメリカ人にとってのリゾート・アイランド。サンゴ礁と白砂のビーチをもつ島じま

国旗の意味

青はカリブ海と大西洋をしめし、黄色は海にかこまれた島国であることと、海岸の砂とかがやく太陽の光をあらわす。三角は国民の大多数をしめるアフリカ系黒人の団結をあらわす。

北アメリカ
日本からの距離
1万2240km

国名と英名
バハマ国
Bahamas

首都
ナッソー

面積
1万4000km²
東京都の6倍くらい

人口
39万人

海賊黒ひげティーチの島があった。

イルカは観光客に大人気。

国名略号……BAH
言語……英語
通貨……バハマ・ドル
日本への輸出品……船、天然真珠
国のようす……コロンブスがはじめて新大陸で到達したとされるサン・サルヴァドル島がある。観光が主な産業で、約8割はアメリカからの観光客。タックス・ヘイブン（低課税地域）。1973年イギリスから独立。

パプアニューギニア

仮面のおどりで有名な熱帯の島国は金や銅、天然ガスを産出する資源国

国旗の意味

赤は太陽と国民の力、黒はメラネシア系の国民をあらわしたもの。黄色のシルエットは国鳥であるフウチョウ（ゴクラクチョウ）。左下には南十字星がえがかれている。

オセアニア
日本からの距離
5060km

国名と英名
パプアニューギニア独立国
Papua New Guinea

首都
ポートモレスビー

面積
46万3000km²
日本の1.2倍くらい

人口
895万人

島の仮面祭りで演じられる、精霊トゥプアン。

熱帯雨林の島じま。

国名略号……PNG
言語……英語、ピジン英語、モツ語
通貨……キナ
日本への輸出品……天然ガス、銅鉱、石油製品
国のようす……1975年独立。「ニューギニア」の名前は、アフリカのギニアにちなんでつけられた。けわしい山岳や湿地、島じまなど、地形にはばまれ小部族にわかれてくらしており、その数は数百にもなる。

パラオ

ミクロネシアの西の端にうかぶ
16世紀から他国の支配をうけてきた島じま

国旗の意味

第二次世界大戦まで日本の委任統治領で、日本の国旗を参考にしている。青は太平洋を、黄の丸は国の統一と平和をあらわしたもの。

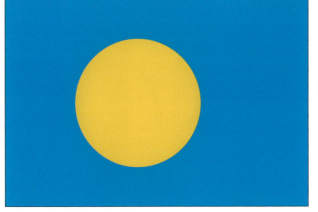

オセアニア
日本からの距離 3170km

国名と英名
パラオ共和国
Palau

首都
マルキョク

面積
459km²
淡路島の8割くらい

人口
2万人

オウムガイ

ロック・アイランド
サンゴ礁が隆起してできた島々。

国名略号……PLW
言　語……パラオ語、英語
通　貨……アメリカ・ドル
日本への輸出品……機械類
国のようす……1994年アメリカ信託統治領から独立。アメリカとは自由連合を結び、財政支援をうけている。おもな産業は観光。ペリリュー島は、第二次世界大戦で日米の激戦地となった島。

パラグアイ

2つの大国ブラジルとアルゼンチンの間で
生き抜いてきた国

国旗の意味

赤は正義、白は平和、青は自由と平等をあらわしたもの。紋章は国旗の表と裏で異なり、表は星のまわりにパルム（ヤシ）とオリーブの枝を、裏にはライオンがえがかれる。

日本からの距離 1万8000km
南アメリカ

国名と英名
パラグアイ共和国
Paraguay

首都
アスンシオン

面積
40万7000km²
日本の1.1倍くらい

人口
713万人

東部でつくられている大豆は世界有数の輸出量。

北部には大湿原がありカピバラもすむ。

国名略号……PAR
言　語……スペイン語、グアラニー語
通　貨……グアラニー
日本への輸出品……大豆、ゴマ
国のようす……1811年独立。19世紀後半にブラジル、アルゼンチン、ウルグアイと戦った三国同盟戦争で人口が半分以下に。住民はおもに国土の東部にくらし、西部はグラン・チャコとよばれる乾燥地帯。

バルバドス

2大政党による政治が定着し
カリブ諸国で最も安定した国

国旗の意味

青は空と海を、黄色は金色にかがやく砂浜をあらわしたもので、カリブ海と大西洋にはさまれた国土の象徴でもある。三つ又のほこは、ギリシャ神話の海の神ポセイドンのシンボル。

北アメリカ
日本からの距離
1万4240km

国名と英名
バルバドス
Barbados

首都
ブリッジタウン

面積
431km²
淡路島の7割くらい

人口
29万人

グレープフルーツの原産地といわれる。

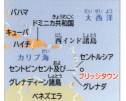

国名略号………BAR
言　語………英語
通　貨………バルバドス・ドル
日本への輸出品…ラム酒
国のようす………16世紀、スペインが先住民を移住させて無人島に。その後、イギリスの植民地となり、アフリカ系黒人が連れてこられた。1966年独立、イギリス連邦の一員。観光を主要産業とする。

サトウキビからつくられるラム酒。

ハンガリー

中世にハンガリー王国ができるが、
16世紀からは強国に支配されてきた歴史をもつ

国旗の意味

赤は革命と愛国者の血、白は純潔と平和、緑は希望をあらわす。第二次世界大戦後、ハンマーや赤い星などが組みあわされた紋章がえがかれていたが、1956年に取りのぞかれた。

ヨーロッパ
日本からの距離
9070km

国名と英名
ハンガリー
Hungary

首都
ブダペスト

面積
9万3000km²
北海道の1.1倍くらい

人口
966万人

1000年にハンガリー王国を建国した、イシュトヴァーン1世。

ハンガリアン・シープドッグ

国名略号………HUN
言　語………ハンガリー語
通　貨………フォリント
日本への輸出品…自動車、自動車部品
国のようす………ドナウ川が流れる盆地に、9世紀ごろからマジャール人が定住、王国をつくる。しかし、その後オスマン帝国やハプスブルク家に支配される歴史をたどる。自国では「マジャル」とよぶ。

バングラデシュ

ガンジス川のデルタ地帯で
サイクロンや洪水の被害が絶えない

国名と英名
バングラデシュ人民共和国
Bangladesh

首都
ダッカ

面積
14万8000km²
北海道の1.8倍くらい

人口
1億6469万人

国旗の意味

日本の国旗とよく似たデザインなのは、制定のときに参考にしたため。緑はイスラム教の聖なる色であるとともに自然をあらわし、赤い丸は独立戦争で流された血と太陽をあらわす。

ガンジス河口はマングローブの林。

衣料品のほう製がさかん。

国名略号………BAN
言　語………ベンガル語
通　貨………タカ
日本への輸出品……衣料品など
国のようす………1947年イスラム教徒の国パキスタンとしてインドから独立。その後1971年にパキスタンから独立。国名は「ベンガル人の国」の意味。都市国家や島国をのぞいて世界で最も人口密度が高い。

東ティモール

21世紀に入って最初に独立した国。
オーストラリアとの海底石油開発が進む

国名と英名
東ティモール民主共和国
Timor-Leste

首都
ディリ

面積
1万5000km²
東京都の7倍くらい

人口
132万人

国旗の意味

インドネシアからの独立運動で中心となった組織の旗を引きついている。黒は暗黒の植民地時代を、黄は独立の戦いを、赤は流された血を、白い星は希望をしめす。

主要輸出品のコーヒー豆。

1999年から2012年まで、国連の平和維持活動が続けられた。

国名略号………TLS
言　語………テトゥン語、ポルトガル語
通　貨………アメリカ・ドル
日本への輸出品……プロパンガス、ブタンガス、コーヒー
国のようす………ポルトガルの植民地、インドネシアの占領などをへて、2002年に独立を勝ちとるが、その後も混乱が続いた。近くの海で発見された原油、天然ガスの収入が経済をささえている。

フィジー

先住民とインド系住民との対立から何度もクーデターが発生

日本からの距離 7220km
オセアニア

国名と英名
フィジー共和国
Fiji

首都
スバ

面積
1万8000km²
東京都の8倍くらい

人口
90万人

国旗の意味

左上のユニオン・ジャックはイギリス連邦諸国のデザイン。水色は太平洋で、紋章にはカカオのからをもつライオン、サトウキビなどの特産品、平和のハトがえがかれている。

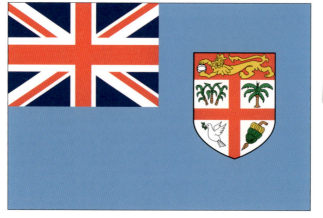

人気のアクティビティ、パラセーリング。

インド料理は定番。

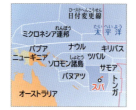

国名略号……FIJ
言語……英語、フィジー語、ヒンディー語
通貨……フィジー・ドル
日本への輸出品……木材チップ、マグロ
国のようす……火山島やサンゴ礁からなる、観光を主とした国。1970年独立。フィジー系の先住民と、イギリス植民地時代に移りすんだインド系住民がおよそ半々。近年は中国との関係を深めている。

フィリピン

公用語の英語を生かした欧米企業の電話窓口の仕事が急成長

日本からの距離 2990km
アジア

国名と英名
フィリピン共和国
Philippines

首都
マニラ

面積
30万km²
日本の8割くらい

人口
1億958万人

国旗の意味

青は理想、赤は勇気、白は純潔と平和をあらわす。三角のなかにはスペインからの独立運動をしめす図形として、太陽が自由、8つの光が反乱をおこした8つの州、星がおもな3つの島を意味する。

第二次世界大戦の日米の激戦地となった。その跡も多く残る。

ジンベイザメ

国名略号……PHI
言語……フィリピノ語、英語
通貨……フィリピン・ペソ
日本への輸出品……自動車用部品、バナナ、木材など
国のようす……国の名前は、最初に植民地支配していたスペインのフェリペ皇太子から。多民族国家で、公用語のほか80前後の言語がある。農業、軽工業、観光を主とするが、海外からの送金も大きな収入。

フィンランド
次世代のハイテク産業開拓をめざす
森と湖の国

国旗の意味

北ヨーロッパの国ぐにに共通する「スカンジナビア十字」とよばれるデザイン。白い地色は雪を、青は青空と無数にある湖をあらわす。

森と湖沼が広がる。

ヨーロッパ
日本からの距離
7840km

国名と英名
フィンランド共和国
Finland

首都
ヘルシンキ

面積
33万8000km²
日本の9割くらい

人口
554万人

国名略号……FIN（エフアイエヌ）
言　語……フィンランド語、スウェーデン語
通　貨……ユーロ
日本への輸出品……コバルト、木材、ニッケル
国のようす……フィンランド語による国の名前は「スオミ」。国の北部は北極圏になり、都市は南部に集中している。情報通信産業がさかんで、職につく女性が多い社会。

人材を育てる教育に熱心。

ブータン
「国民総幸福量」という
幸せのものさしを提唱する仏教国

国旗の意味

昔から「龍の国」ともよばれており、王家の象徴でもある龍を中央に配置。黄は国王の権威、オレンジはチベット仏教、龍の白は清らかさをしめす。

アジア
日本からの距離
4790km

国名と英名
ブータン王国
Bhutan

首都
ティンプー

面積
3万8000km²
九州と同じくらい

人口
77万人

タクツァン僧院
断崖につくられた仏教寺院。

国名略号……BHU（ビーエイチユー）
言　語……ゾンカ語
通　貨……ニュルタム
日本への輸出品……マツタケ
国のようす……チベット仏教を国教とする国で、長い間鎖国をしていたが、1971年に国連に加盟。農業が主産業だが、耕地には限りがある。水力発電によるインドへの電力供給が大きな収入になっている。

民族衣装をまとった国王夫妻。

ブラジル

新興経済国のひとつに成長し、南アメリカで初のオリンピックを開催

南アメリカ
日本からの距離
1万7680km

国名と英名
ブラジル連邦共和国
Brazil

首都
ブラジリア

面積
851万6000km²
日本の23倍くらい

人口
2億1256万人

国旗の意味

緑は森林資源、黄のひし形は鉱物資源をしめす。青い丸は天球儀。南半球の星座を構成する27の星は、26の州と首都をあらわしたものでもある。帯の文字は「秩序と発展」。

リオのカーニバル

アマゾン川の流域には熱帯雨林が広がる。

国名略号 …………… BRA
言　　語 …………… ポルトガル語
通　　貨 …………… レアル
日本への輸出品 … 鉄鉱、とり肉、エチルアルコール
国のようす ………… 豊かな資源をもつ広大な国であり、経済の規模も南アメリカ最大。20世紀末には経済危機にみまわれたが、これを乗り越えて新興経済国のひとつに成長。

フランス

首都は「芸術の都」とよばれるパリ。世界のファッションや文化をリードする

ヨーロッパ
日本からの距離
9740km

国名と英名
フランス共和国
France

首都
パリ

面積
55万2000km²
日本の1.5倍くらい

人口
6527万人

国旗の意味

1789年のフランス革命で、革命軍の市民がつけていた帽章が由来。もともとはパリ市の色の赤と青に、ブルボン王家をしめす白をはさんだものだが、今では3色あわせて「自由・平等・博愛」の象徴とされる。

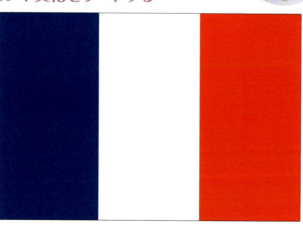

エッフェル塔

フランスパンのひとつ、バゲット。

国名略号 …………… FRA
言　　語 …………… フランス語
通　　貨 …………… ユーロ
日本への輸出品 … 航空機、ロケット、ワイン類、飲料水
国のようす ………… 歴史上、広く世界に影響をおよぼしてきたヨーロッパの大国。農業生産はヨーロッパで有数の規模であり、自動車、宇宙・航空産業も発達。原子力発電の推進国でもある。

ブルガリア

バラの生産とヨーグルトで有名。
2007年、EUへの加盟をはたした

国旗の意味

オスマン帝国からの独立て支援したロシアの国旗を参考に、青を緑に変えたもの。白は純潔と平和、緑は豊かな大地、赤は愛国心と国民の勇気をあらわす。

国名と英名
ブルガリア共和国
Bulgaria
首都
ソフィア
面積
11万km²
北海道の1.3倍くらい
人口
695万人

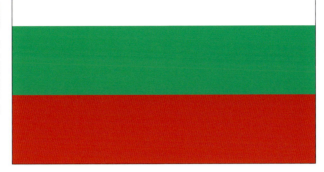

「はい」で首を横に、「いいえ」で縦にふる、めずらしい習慣がある。

香料をとるためのバラ栽培がさかん。

国名略号……BUL
言語……ブルガリア語
通貨……レフ
日本への輸出品……医療機器、電気機器、貝類
国のようす……7世紀、この地に国を築いたブルガール人にちなんだ名前。14世紀末から500年間近くオスマン帝国の支配下となる。共産党政権が崩壊し、2007年にEU加盟をはたすが、経済は低迷。

ブルキナファソ

現地の言葉で
「高潔な人たちの国」という国名

国旗の意味

赤は革命を、緑は農業・森林・希望を、そして中央の黄色い星は天然資源をしめしている。1984年に制定された。

国名と英名
ブルキナファソ
Burkina Faso
首都
ワガドゥグ
面積
27万3000km²
日本の7割くらい
人口
2090万人

模様が独特の集落
ティエベレ。

全土がサバンナ。
北部では砂漠化が進行。

国名略号……BUR
言語……フランス語、モシ語、ディウラ語、グルマンチェ語
通貨……CFAフラン
日本への輸出品……ゴマ、白金
国のようす……1960年に「オートボルタ共和国」としてフランスから独立。以降何度もクーデターで政権が交代する。1987年からは民主化を進めた政権が安定していたが、近年ふたたび混乱が続いている。

ブルネイ

イスラムのスルタンが治める東南アジアの産油国

日本からの距離 4250km
アジア

国名と英名
ブルネイ・ダルサラーム国
Brunei

首都
バンダル・スリ・ブガワン

面積
5765km²
東京都の2.6倍くらい

人口
44万人

国旗の意味

黄はマレー人にとって幸運の色とされる。中央の旗と傘は王家をしめしたもので、アラビア文字で「神の導きにより常に奉仕する、ブルネイ・ダルエスサラーム」と書かれている。

イスラム風建築の王宮。

石油・天然ガスが豊富で、経済は豊か。

国名略号……BRU
言語……マレー語、英語、中国語
通貨……ブルネイ・ドル
日本への輸出品……天然ガス、石油
国のようす……かつてはカリマンタン島（ボルネオ島）の北西岸に広がる国だった。石油・天然ガスの産出により、とても豊かな国で社会福祉などが充実。国王（スルタン）が国政の多くをとりおこなう。

ブルンジ

民族対立による混乱で食糧の自給ができない状態に

日本からの距離 1万2060km
アフリカ

国名と英名
ブルンジ共和国
Burundi

首都
ブジュンブラ
（政治機能所在地はギテガ）

面積
2万8000km²
九州の8割くらい

人口
1189万人

国旗の意味

赤は革命で流された血を、緑は発展と希望を、白は平和をあらわす。3つの星は、この国のおもな3つの民族をしめすとともに、「団結、労働、進歩」をあらわしたものでもある。

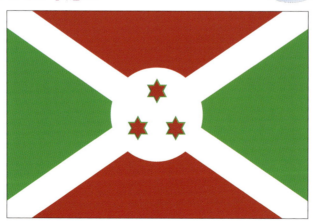

アフリカでも、とくに人口密度が高い国。

コーヒーが輸出の6割をしめる。

国名略号……BDI
言語……フランス語、キルンジ語
通貨……ブルンジ・フラン
日本への輸出品……コーヒー
国のようす……1962年ベルギーから独立。国内多数派のフツ族と、少数派のツチ族の対立が長く続き、政権交代と混乱をくり返してきた。世界でも最も貧しい国のひとつとなっている。

ベトナム

開放政策で急成長をとげた東南アジアの社会主義国

日本からの距離 3670km
アジア

国名と英名
ベトナム社会主義共和国
Viet Nam

首都
ハノイ

面積
33万1000km²
日本の9割くらい

人口
9734万人

国旗の意味

「金星紅旗」ともよばれる。赤い旗は共産・社会主義の象徴で、革命のためにベトナム人民が流した血もあらわす。黄色い星は、労働者、農民、知識人、青年、兵士の5階層がひとつに力をあわせることをしめす。

伝統的な衣装、アオザイ。

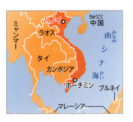

最大都市ホーチミン市では、交通の主役がバイク。

国名略号………VIE
言　語………ベトナム語
通　貨………ドン
日本への輸出品…自動車用部品、電話機、木材チップ、エビ
国のようす………第二次世界大戦後、南北分断とベトナム戦争で国土は荒れたが、1976年に統一。1980年代からの開放政策「ドイモイ」で急速に経済成長をとげた。近年は観光業もさかん。

ベナン

西アフリカやカリブ諸国で広まった黒人宗教、ブードゥー教のふるさと

アフリカ
日本からの距離 1万3540km

国名と英名
ベナン共和国
Benin

首都
ポルトノボ

面積
11万5000km²
北海道の1.4倍くらい

人口
1212万人

国旗の意味

緑・黄・赤はアフリカ諸国で多い「汎アフリカ色」。緑は豊かな森林資源と国家の繁栄を、黄は北部の乾燥したサバンナと豊かさを、赤は独立運動で流された血をしめす。

湖岸の街ガンビエの水上家屋をめぐる、物売りのボート。

ブードゥー教のもとはヴォドンとよばれる民間信仰。祭りで着る奇抜な衣装。

国名略号………BEN
言　語………フランス語
通　貨………CFAフラン
日本への輸出品…白金
国のようす………フランス領から1960年ダホメ共和国として独立。1990年に今の名前に変わる。石油が豊富なギニア湾に面しているが、この国ではほとんど見つからず、綿花などの農業にたよる。

ベネズエラ

「解放者」シモン・ボリバルの生誕国。
1999年、国名にその名を加えた

国旗の意味

黄・青・赤はかつての大コロンビアの国旗で、現在のコロンビアの国旗とも共通。左上は国章で、白馬は自由の象徴。星は7つの州と、領有を主張しているガイアナのエセキボ地方をあらわす。

日本からの距離
1万4180km
南アメリカ

国名と英名
ベネズエラ・ボリバル共和国
Venezuela

首都
カラカス

面積
93万km²
日本の2.4倍くらい

人口
2844万人

落差979m、
ギアナ高地にある
アンヘルの滝。

国名略号 …………… VEN
言　語 …………… スペイン語など
通　貨 …………… ボリバル
日本への輸出品 … メタノール、カカオ豆
国のようす ……… 世界有数の石油資源があり、鉄鉱石や金など地下資源も豊富。「21世紀の社会主義」をめざしてきたが、近年混乱が続き、何百万人もの国民が国外に流出している。

南アメリカを独立に導いた、革命家
シモン・ボリバル。

ベラルーシ

公用語にロシア語も使われるほど
ロシアとの関係が親密

国旗の意味

2012年に改訂された現在の国旗は、旧ソ連時代と似ているが、鎌とハンマーの印がのぞかれている。赤は国の歴史を、緑は自然をしめし、左に伝統的な紋様を配置する。

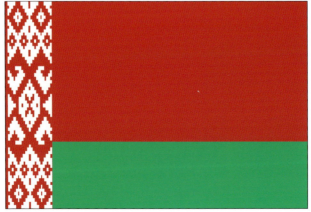

ヨーロッパ
日本からの距離
8150km

国名と英名
ベラルーシ共和国
Belarus

首都
ミンスク

面積
20万8000km²
日本の6割くらい

人口
945万人

手つかずの森には
ヨーロッパ・バイソン
が生息。

国名略号 …………… BLR
言　語 …………… ベラルーシ語、ロシア語
通　貨 …………… ベラルーシ・ルーブル
日本への輸出品 … 化学肥料、乳製品
国のようす ……… ルーシは「ロシア」のもとにもなった民族・国名で、ベラルーシは「白いルーシ」の意味。1991年ソビエト連邦から独立。ロシアからは、天然ガスなど資源の多くを輸入している。

アルコール消費量は
世界のトップクラス。

ベリーズ

ユカタン半島のつけ根にあり豊かな熱帯雨林とサンゴ礁が広がる

国旗の意味
藍はまわりの国との友好を、赤は国土と独立を守る決意をしめす。白い丸のなかは国章で、特産のマホガニーの木、おのや船のかいをもつ住民、道具、船などがえがかれている。

サンゴ礁にひらいた巨大な穴、グレート・ブルー・ホール。

日本からの距離 1万2250km

国名と英名 ベリーズ Belize
首都 ベルモパン
面積 2万3000km² 九州の6割くらい
人口 40万人

トウカンとよばれるオオハシが国鳥。

国名略号 BIZ
言語 英語、スペイン語、ベリーズ・クレオール語、モパン語
通貨 ベリーズ・ドル
日本への輸出品 ソース、天然真珠
国のようす グアテマラが一部地域の領有を主張し、なかなか独立できなかったが、1981年イギリスからの独立が実現。カリブ海の海岸には長大なサンゴ礁が発達し、ダイビングなどの観光がさかん。

ペルー

かつてのインカ帝国の中心地。恵まれた資源で成長してきた

国旗の意味
独立運動の指導者が、翼が赤く胸が白いフラミンゴを見たことが配色のもとといわれる。赤は勇気と愛国心、白は平和と進歩の象徴でもある。

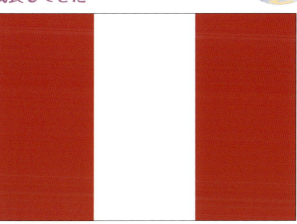

天空の都市ともよばれる、マチュ・ピチュ遺跡。

日本からの距離 1万5500km
南アメリカ

国名と英名 ペルー共和国 Peru
首都 リマ
面積 128万5000km² 日本の3.4倍くらい
人口 3297万人

先住民とアルパカ。

国名略号 PER
言語 スペイン語
通貨 ソル
日本への輸出品 銅鉱、石油製品、天然ガス、亜鉛
国のようす 植民地時代には、南アメリカのスペイン領を治める「ペルー副王領」の首都が、リマにおかれた。銀、銅、亜鉛、鉛などの鉱産資源が豊富で、よい漁場にも恵まれている。

ベルギー

EU（ヨーロッパ連合）の本部などがある
「EUの首都」

国旗の意味

黒は力、黄色は充実、赤は勝利を意味するが、もともとは、ベルギーの伝統的な紋章である、黒地に赤いツメや舌を出している黄色いライオンがえがかれた盾章から色を流用している。

国名と英名	ベルギー王国 Belgium
首都	ブリュッセル
面積	3万1000km² 九州の8割くらい
人口	1159万人

チョコレートは名産品。

EU旗

ブリュッセルにはEU本部がある。

国名略号………… BEL
言　　語………… オランダ語（フラマン語）、フランス語、ドイツ語
通　　貨………… ユーロ
日本への輸出品…… 医薬品、自動車など
国のようす………… 19世紀にネーデルラント連合王国（現在のオランダ）から分離・独立。永世中立国だったが、2度の世界大戦では戦場になった。原料を輸入し、製品として輸出する加工業がさかん。

ポーランド

ヨーロッパの東西をつなぐ「平原の国」。
東ヨーロッパの民主化をリード

国旗の意味

伝説上のこの国の建国者レヒが、夕日を背景に飛んでいる白いワシを見て、それを国章にしたのが由来といわれる。現在では、白は自由、赤は国のために流された血の象徴とされている。

国名と英名	ポーランド共和国 Poland
首都	ワルシャワ
面積	31万3000km² 日本の8割くらい
人口	3785万人

14世紀の王で、名君と名高いカジミェシュ3世。

第二次世界大戦中、ナチスがアウシュビッツ強制収容所をつくった。

国名略号………… POL
言　　語………… ポーランド語
通　　貨………… ズロチ
日本への輸出品…… 自動車、陶磁製品、電話用機械
国のようす………… 国名は平原を意味する「ポーレ」が語源。中世にはヨーロッパの大国にまで成長するが、近世には周辺国に分割されるなど、3度も国が消滅した。2004年にEUに加盟。

ボスニア・ヘルツェゴビナ

1992年に旧ユーゴスラビアから独立したのち、
いたましい内戦を経験

ヨーロッパ
日本からの距離
9390km

国名と英名
ボスニア・ヘルツェゴビナ
Bosnia and Herzegovina

首都
サラエボ

面積
5万1000km²
九州の1.4倍くらい

人口
328万人

国旗の意味
青い地色に星がならべられたデザインは、EUの旗を参考にしている。黄の三角形は国の形であり、主要民族のムスリム人、セルビア人、クロアチア人をあらわすとされている。

16世紀、オスマン帝国時代の橋、モスタルのスタリ・モスト。

内戦による犠牲者をいたむ人。

国名略号……… BIH
言語……… ボスニア語、セルビア語、クロアチア語
通貨……… 兌換マルク
日本への輸出品…… くつ、衣類、三輪車
国のようす……… 歴史をかさねた結果、国内にはムスリム人、セルビア人、クロアチア人が混在。1992年にはじまったボスニア・ヘルツェゴビナ紛争では各民族が争い、20万人もの死者を出す内戦となった。

ホ

ボツワナ

世界有数のダイヤモンドの産地。
資源頼みの経済から脱する道をさぐる

アフリカ
日本からの距離
1万3650km

国名と英名
ボツワナ共和国
Botswana

首都
ハボロネ

面積
58万2000km²
日本の1.5倍くらい

人口
235万人

国旗の意味
水色は、水の恵みがかけがえのないものとして雨を象徴。中央の白と黒の線は、それぞれ白人と黒人を象徴し、互いの団結と平等の精神をあらわしている。

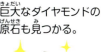
巨大なダイヤモンドの原石も見つかる。

乾期の砂漠に大河がつくる、広大なオカヴァンゴ湿地。

国名略号……… BOT
言語……… 英語、ツワナ語
通貨……… プラ
日本への輸出品…… ダイヤモンド、白金
国のようす……… 国名は「ツワナ人の国」を意味する。1966年にイギリスから独立。独立して間もなく、優れたダイヤモンド鉱山が発見され、国の財政をささえてきた。安定した政権が続いている。

ボリビア

南アメリカの内陸国。
上ペルー（高地ペルー）ともよばれていた

国名と英名
ボリビア多民族国
Bolivia

首都
ラパス
（憲法上の首都はスクレ）

面積
109万9000km²
日本の2.9倍くらい

人口
1167万人

国旗の意味
赤は独立闘争で流された血、黄は鉱物資源、そして緑は豊かな森林の植物資源をあらわすとされる。国章には、国旗にかこまれたなかにアルパカと、アンデスにすむコンドルがえがかれている。

どこまでも水平なウユニ塩原。鏡のように風景を映し出す。

南アメリカ原産で、かかせない食材のひとつ、トウガラシ。

国名略号	BOL
言　　語	スペイン語、ケチュア語、アイマラ語など
通　　貨	ボリビアーノス
日本への輸出品	亜鉛、銀、鉛、すず

国のようす……国名は南アメリカの解放者シモン・ボリバルにちなむ。国土はアンデス山脈を含む高原地帯とその東に広がる低地からなる。豊かな天然資源をもち、東部の低地では大豆などの作付けを進める。

ポルトガル

世界に植民地を築いた国のひとつ。
16世紀、日本にヨーロッパの文化を伝えた

国名と英名
ポルトガル共和国
Portugal

首都
リスボン

面積
9万2000km²
北海道の1.1倍くらい

人口
1020万人

国旗の意味
緑は誠実と希望、赤は共和国設立の革命で流された血を象徴する。間にえがかれているのは、この国の大航海時代における躍進をしめす天球儀と、建国の戦いの歴史をしめした盾。

大航海時代の幕をひらいたエンリケ航海王子。

丘の多いリスボンの街を走るケーブルカー。

国名略号	POR
言　　語	ポルトガル語
通　　貨	ユーロ
日本への輸出品	自動車、トマトピューレ、ワイン

国のようす……12世紀にポルトガル王国として成立。金や香辛料を求め、15世紀の大航海時代を築きあげた国のひとつ。EU加盟国。オリーブやワイン、コルクがしの生産がさかん。

ホンジュラス

プランテーションが進められ
「バナナ共和国」ともよばれた国

国名と英名
ホンジュラス共和国
Honduras
首都
テグシガルパ
面積
11万2000km²
北海道の1.3倍くらい
人口
990万人

国旗の意味

青・白・青はかつてあった中央アメリカ連邦の旗が原型で、エルサルバドルやニカラグアなどと共通。青はカリブ海と太平洋、白は平和の象徴でもある。中央の5つの星は、連邦復活の願いをこめたもの。

プランテーションは、19世紀末からはじまった。

マヤ文明の都市、コパン遺跡。

国名略号……HON
言　語……スペイン語
通　貨……レンピラ
日本への輸出品……コーヒー、メロン
国のようす……中央アメリカ諸国のなかではめずらしく、大きな内乱もなく政治は安定してきた。経済はバナナ・プランテーションがささえてきたが、競争力が低下しており、経済的に不安定となっている。

おもいをこめたシンボル

天体、動物、植物などを国旗に配置

太陽、月、星などの天体や、動物、植物をモチーフにした国旗も多い。国章や紋章を国旗に入れている国もある。

●天体

アルゼンチンの「太陽」、イスラム教国家の「月」など、信仰や宗教のシンボルとして天体をモチーフにしている国旗は多い。なかでも独立や国民統合の象徴とされる「星」が多く見られる。

アルゼンチン　オーストラリア　ジブチ　パキスタン

ベトナム　マラウイ

●動物

伝説の動物と崇められているブータンの龍やスリランカのライオンなどを模したものがある。エジプトのワシなど、自由のシンボルとしての鳥も多い。

ブータン　スリランカ　エジプト　メキシコ

●植物

レバノンの杉、カナダのカエデなど、国や地域の生活や風土をあらわす植物が国旗にえがかれている。

レバノン　カナダ　サンマリノ　フィジー

●国章・紋章

スペインとポルトガルなど、中世ヨーロッパの王家の紋章などが国旗に残されている。中央アメリカでは、自由の象徴である旗の紋章や、独立までの背景をえがいた国章を使用している例もある。

スペイン　ポルトガル　エルサルバドル　ハイチ

マーシャル諸島

太平洋にうかぶサンゴ礁の島は
かつてアメリカの核実験場だった

国旗の意味

青地は太平洋、斜めに横切るオレンジ色は勇気、白は平和をあらわす。太陽から出た24本の光線は24の地区を、長くのびた十字はキリスト教をあらわす。

オセアニア
日本からの距離
4520km

国名と英名
マーシャル諸島共和国
Marshall Islands

首都
マジュロ

面積
181km²
淡路島の3割くらい

人口
6万人

ビキニ環礁では核実験がくり返された。

首都のあるマジュロ環礁。

国名略号 ……… MHL
言　　語 ……… マーシャル語、英語
通　　貨 ……… アメリカ・ドル
日本への輸出品 … カツオ、マグロ
国のようす ……… サンゴ礁の島じまで、産業は発達していない。船の税金が安く、世界各国の船が籍をおき、その税収が国をささえている。第二次世界大戦後、ビキニ環礁などでアメリカの核実験がおこなわれた。

マダガスカル

アフリカでただひとつの、
東南アジアから来た民族がつくった国

国旗の意味

赤と白は古くからこの国を支配してきたマレー系民族のシンボルカラーで、インドネシアと同じ。緑は東部に住むベツィミサラカ人の色で、3色で主要民族の協調をあらわす。

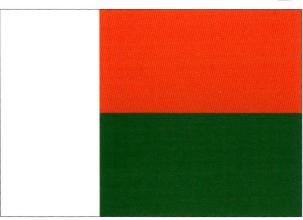

アフリカ
日本からの距離
1万1410km

国名と英名
マダガスカル共和国
Madagascar

首都
アンタナナリボ

面積
58万7000km²
日本の1.6倍くらい

人口
2769万人

ツィンギの岩山にくらすベローシファカ（キツネザルの仲間）。

バオバブ

国名略号 ……… MAD
言　　語 ……… マダガスカル語、フランス語
通　　貨 ……… アリアリ
日本への輸出品 … ニッケル、コバルト、バニラ
国のようす ……… 東南アジアからインド洋をわたってきたマレー系の人びとが建国。アフリカ大陸から離れているため、めずらしい動植物が多い。おもな産業は稲作などの農業で、香辛料の生産がさかん。

マラウイ

国名と同じ名前の湖に面し、高原が広がるアフリカの内陸国

アフリカ
日本からの距離
1万2340km

国名と英名
マラウイ共和国
Malawi

首都
リロングウェ

面積
11万8000km²
北海道の1.4倍くらい

人口
1913万人

国旗の意味

黒は国民、赤は独立のために流された血、緑は森林と豊かな国土をあらわす。上段の赤い太陽はアフリカ大陸の希望と自由の夜明けをあらわす。

チェワ語で、こんにちは。
Moni（モニ）

熱帯魚で人気のシクリッド。マラウイ湖に多い。

- 国名略号 …… MAW
- 言語 …… チェワ語、英語、各民族語
- 通貨 …… マラウイ・クワチャ
- 日本への輸出品 …… タバコ、マカダミアナッツ
- 国のようす …… アフリカ大地溝帯にできたマラウイ湖に面する細長い内陸国。農業がおもな産業で、トウモロコシやタバコの生産が中心。天候不順による食糧不足に悩まされている。

マリ

サハラ砂漠が広がる乾燥地帯にあり、ニジェール川が人びとのくらしをささえる

アフリカ
日本からの距離
1万3670km

国名と英名
マリ共和国
Mali

首都
バマコ

面積
124万km²
日本の3.3倍くらい

人口
2025万人

国旗の意味

緑は農業と自然、黄は地下資源、赤は独立運動で流された血をあらわす。緑・黄・赤の3色はアフリカのシンボルカラーでもある。

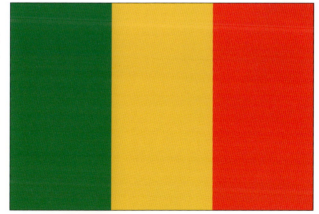

ミレット（トウジンキビ）は、この地方の主要穀物。

泥でできたイスラム教のモスク。

- 国名略号 …… MLI
- 言語 …… フランス語、バンバラ語など
- 通貨 …… CFAフラン
- 日本への輸出品 …… ゴマ、アルミニウム合金
- 国のようす …… 北部はサハラ砂漠で、南部のニジェール川沿いに人口が集中する。13〜17世紀にマリ帝国やソンガイ帝国がさかえた。2012年におこった紛争以降、政治的混乱がくり返されている。

マルタ

マルタ騎士団が支配していた地中海にうかぶ小さな島国

ヨーロッパ
日本からの距離
1万270km

国名と英名
マルタ共和国
Malta

首都
バレッタ

面積
315km²
淡路島の半分くらい

人口
44万人

国旗の意味

地色の白は純潔・正義・平和を、赤は情熱と犠牲をあらわす。左上の十字は第二次世界大戦でのマルタ島民の勇敢な戦いをたたえてイギリスから贈られた聖ジョージ勲章。

ヨーロッパからの十字軍に起源をもつ、マルタ騎士団。

イギリスの聖ジョージ勲章。救護活動などで贈られる。

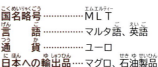

国名略号………MLT
言語………マルタ語、英語
通貨………ユーロ
日本への輸出品…マグロ、石油製品
国のようす………イタリアの南の地中海にうかぶ島国。地中海の貿易でさかえ、16世紀から18世紀にかけてマルタ騎士団が島を支配していた。1964年にイギリスから独立し、製造業と観光が主産業。

マレーシア

マレー半島とボルネオ島に国土をもち、東南アジアの新興国として発達

日本からの距離
5310km
アジア

国名と英名
マレーシア
Malaysia

首都
クアラルンプール

面積
33万1000km²
日本の9割くらい

人口
3237万人

国旗の意味

赤と白の14本の帯は独立時の14州をあらわす。三日月と星はイスラム教のシンボル。黄はマレーシアの伝統的な首長であるスルタンの権威をあらわしている。

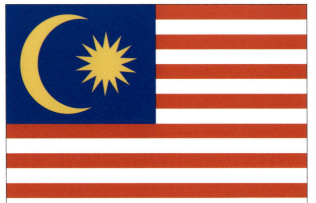

クアラルンプールのシンボル、ペトロナスツインタワー。

マラッカ海峡は、海運の大動脈。

国名略号………MAS
言語………マレー語、中国語、タミール語、英語
通貨………リンギット
日本への輸出品…天然ガス、電気機器、パーム油
国のようす………多民族国家で、おもな民族はマレー系、中国系、インド系の3つ。石油・天然ガスやスズなどの地下資源に恵まれ、自動車などの製造業のほか、近年は情報技術産業も発達している。

ミクロネシア連邦

かつて日本が統治した太平洋の島じま。
現在はアメリカとのつながりが深い

オセアニア
日本からの距離
3700km

国名と英名	ミクロネシア連邦 Federated States of Micronesia
首都	パリキール
面積	702km² 淡路島の1.2倍くらい
人口	12万人

国旗の意味

青は太平洋と国際連合の色をあらわし、十字形におかれた4つの星は国を構成する4つの主要な島じまと南十字星、およびキリスト教をあらわしている。

伝統的な島の集会の建物。

マンタ

国名略号	FSM
言語	英語など
通貨	アメリカ・ドル
日本への輸出品	マグロ、カツオ

国のようす……ヤップ、チューク、ポンペイ、コスラエの4つの州からなる連邦国で、第二次世界大戦までマーシャル諸島とともに日本が統治した。おもな産業は漁業。財政はアメリカからの援助にたよっている。

南アフリカ

1990年代まで人種差別政策を続ける。
現在はアフリカ有数の経済先進国に

アフリカ
日本からの距離
1万3500km

国名と英名	南アフリカ共和国 South Africa
首都	プレトリア
面積	122万1000km² 日本の3.2倍くらい
人口	5931万人

国旗の意味

全体の形はさまざまな人種・民族が協力して前進することをあらわす。赤は黒人解放のために流された血、緑は農業、青は空と海、黄は鉱物資源、黒は黒人、白は白人を意味する。

プロテアの花
大陸の南端で、めずらしい植物が多い。

「アパルトヘイト」
根絶で戦い続けた、
ネルソン・マンデラ。

国名略号	RSA
言語	英語、アフリカーンス語、バンツー諸語
通貨	ランド
日本への輸出品	レアメタル、鉄鉱石、グレープフルーツ

国のようす……白人の移民が建国し、黒人などの有色人種を差別する「アパルトヘイト」政策を1994年まで続けていた。金やダイヤモンドなど地下資源が豊富。経済成長がいちじるしい新興国のひとつ。

南スーダン

2011年スーダンからの独立を勝ちとるが
ふたたび内戦の混乱へ

国旗の意味

黒は国民、赤は独立と自由のために流された血、緑は豊かな国土。2本の白い線は平和、青い三角はナイル川をあらわす。黄色い星は「ベツレヘムの星」で、国の団結を意味する。

アフリカ
日本からの距離
1万1310km

国名と英名
南スーダン共和国
South Sudan

首都
ジュバ

面積
65万9000km²
日本の1.7倍くらい

人口
1119万人

国連による
平和維持活動。
日本も参加。

南東部を中心に
石油を産出。

国名略号……SSD
言　語……英語、アラビア語、各部族語
通　貨……南スーダン・ポンド
日本への輸出品……石油
国のようす……アフリカで54番目の国としてスーダンから独立。経済は油田からの収入にたよっている。独立後、スーダンとの国境紛争や政治の混乱が続き、多くの難民を生む状況は改善していない。

ミャンマー

経済成長が期待されるも
軍が政治に関わり国内は不安定

国旗の意味

黄は平和、緑は豊かな国土、赤は勇気をそれぞれあらわす。中央の白い星は国の統一と平和を象徴している。

日本からの距離
4600km
アジア

国名と英名
ミャンマー連邦共和国
Myanmar

首都
ネーピードー

面積
67万7000km²
日本の1.8倍くらい

人口
5441万人

バガンには、11〜13
世紀の寺院がのこる。

修行僧の托鉢
信仰のあつい仏教徒が多い。

国名略号……MYA
言　語……ミャンマー語
通　貨……チャット
日本への輸出品……衣類、はきもの、エビ
国のようす……1948年にイギリスから独立後、軍が政治を支配。民主化運動により、2015年にアウンサンスーチー率いる国民民主連盟の政権が誕生するも、2021年に軍がクーデターで再び政権をにぎる。

メキシコ

先住民の歴史をうけつぎながら
アメリカとのつながりを深める

北アメリカ
日本からの距離
1万1330km

国名と英名
メキシコ合衆国
Mexico

首都
メキシコシティ

面積
196万4000㎢
日本の5倍くらい

人口
1億2893万人

国旗の意味
緑は独立、白はカトリック教会、赤は民族の統一をあらわす。紋章はアステカ人の伝説で「ヘビをくわえたワシが湖のほとりのサボテンに留まった場所に都を築け」という意味。

メトロポリタン大聖堂
アステカの都の跡にメキシコシティがつくられた。

テオティワカン遺跡

国名略号 …………… MEX
言　語 …………… スペイン語
通　貨 …………… ペソ
日本への輸出品 … 豚肉、自動車、銀、アボカド
国のようす …… 先住民のアステカ帝国がさかえたが、16世紀にスペインが征服。19世紀に独立した。アメリカ、カナダと北米自由貿易協定を結び、経済は堅調。近年、犯罪増加が問題となっている。

モーリシャス

インド洋にうかぶ小さな多民族国家。
古くから航海の中継地となってきた

アフリカ
日本からの距離
1万620km

国名と英名
モーリシャス共和国
Mauritius

首都
ポートルイス

面積
1979㎢
東京都の9割くらい

人口
127万人

国旗の意味
赤は独立のため流された血、青はインド洋の海、黄は太陽の光、緑は国土と農業をあらわす。また、4色はこの国を構成するインド人、黒人、白人、中国人を象徴している。

17世紀に狩りつくされ絶滅した、ドードー。

リゾートもインド風。

国名略号 …………… MRI
言　語 …………… 英語、フランス語、クレオール語
通　貨 …………… モーリシャス・ルピー
日本への輸出品 … 魚粉、マグロ
国のようす …… 住民はインド系が半分以上をしめ、ほかにアフリカ系、中国系などがすむ。経済はサトウキビや茶の生産から、観光や金融に転換。日本の遠洋マグロ漁業の基地にもなっている。

モーリタニア

日本人が食べるタコの多くを輸出する、サハラ砂漠の国

国旗の意味
地の緑、中央の三日月と星はイスラム教のシンボル。緑には、サハラ砂漠におおわれた国土を、緑豊かにしたいという願いもこめられている。2017年に上下の赤い帯を加えた。

アフリカ
日本からの距離
1万3530km

国名と英名
モーリタニア・イスラム共和国
Mauritania

首都
ヌアクショット

面積
103万1000km²
日本の2.7倍くらい

人口
465万人

近年、とくに砂漠化の進行が問題に。

地元ではタコは食べないという。

- 国名略号……MTN
- 言　語……アラビア語、プラール語、ソニンケ語、ウォロフ語など
- 通　貨……ウギア
- 日本への輸出品……鉄鉱、タコ
- 国のようす……大西洋に面し、国土の大部分をサハラ砂漠がしめる。住民のほとんどがイスラム教徒。おもな産業は鉄鉱石などの鉱業と、輸出向けのタコやイカなどの漁業。

モザンビーク

インド洋に面する旧ポルトガル植民地。豊かな資源を生かした国づくりを進める

国旗の意味
赤は独立への戦い、緑は豊かな国土、黒は国民の団結、黄は鉱物資源をあらわす。紋章のくわ、銃、本はそれぞれ農業・防衛・教育を、星は独立を意味している。

アフリカ
日本からの距離
1万3120km

国名と英名
モザンビーク共和国
Mozambique

首都
マプト

面積
79万9000km²
日本の2.1倍くらい

人口
3126万人

17年間の内戦で、多くの地雷がうめられた。

サイやゾウの密猟がやまない。

- 国名略号……MOZ
- 言　語……ポルトガル語
- 通　貨……メティカル
- 日本への輸出品……石炭、石油、チタン鉱、ゴマ
- 国のようす……1975年にポルトガルから独立したが、現在はイギリス連邦に加盟し、周辺との協調をはかる。独立後に続いた内戦が終わってから、豊富な地下資源を生かして経済成長を続けている。

モナコ

セレブが集まる地中海のリゾート地は世界で2番目に小さな国

国旗の意味

赤と白は中世からこの地を治めるグリマルディ家の色。1881年に国旗に定められた。1949年に独立したインドネシアの国旗とそっくりで、モナコが抗議をしたことも。

国名と英名	モナコ公国 Monaco
首都	モナコ
面積	2km² 皇居の1.7倍くらい
人口	4万人

日本からの距離 9980km ヨーロッパ

観光の目玉になっているカジノ。

自動車のF1レースの開催地。

- 国名略号……MON
- 言語……フランス語
- 通貨……ユーロ
- 日本への輸出品……医療機器、美容用品
- 国のようす……イタリア出身の貴族グリマルディ家が治める。地中海に面するヨーロッパの代表的なリゾート地で、世界で最も高額所得者層の割合が高い国とされる。

モルディブ

サンゴ礁のリゾート・アイランド。地球温暖化の影響が心配

国旗の意味

中央の三日月と緑はこの国がイスラム教国であることをしめす。緑は平和と繁栄もあらわしている。緑をかこむ赤は独立と自由のために流された血と犠牲を意味する。

国名と英名	モルディブ共和国 Maldives
首都	マレ
面積	300km² 淡路島の半分くらい
人口	54万人

日本からの距離 7600km アジア

ひとつのリゾートになっている小島も多い。

クマノミ

- 国名略号……MDV
- 言語……ディベヒ語
- 通貨……ルフィア
- 日本への輸出品……カツオ、かつお節
- 国のようす……インド洋にうかぶ環礁の島じま。リゾート地として人気があり、世界中から観光客が訪れる。漁業もさかん。海抜が低く、地球温暖化による海面上昇への対策がはじまっている。

モルドバ

となりのルーマニアとのつながりは国旗にも表現されている

国旗の意味

歴史的・文化的につながりの深いルーマニアの国旗と地色が同じで、モルドバの過去・現在・未来を象徴している。中央の紋章は中世のモルダビア公国の紋章に由来。

ヨーロッパ
日本からの距離
8550km

国名と英名
モルドバ共和国
Moldova

首都
キシニョフ

面積
3万4000km²
九州の9割くらい

人口
403万人

丘陵地が多く、ブドウ栽培がさかん。

15～16世紀にできた古い修道院。

国名略号………MDA
言　語………モルドバ（ルーマニア）語、ロシア語
通　貨………モルドバ・レイ
日本への輸出品…衣類、ワイン
国のようす………1991年のソビエト連邦崩壊で独立した。言語や文化はとなりのルーマニアとほとんど同じだが、東部にはロシア系住民が多く、分離・独立を求める紛争が続いている。

モロッコ

ジブラルタル海峡でヨーロッパと向きあうイスラム教国

国旗の意味

地色の赤は17世紀からモロッコをおさめるアラウィー家のシンボルカラー。中央の緑の星は「スレイマン（ソロモン）の星」とよばれ、国の安泰を象徴している。

アフリカ
日本からの距離
1万1540km

国名と英名
モロッコ王国
Morocco

首都
ラバト

面積
44万7000km²
日本の1.2倍くらい

人口
3691万人

イブン・バットゥータ
3大陸の旅行記を記した14世紀の探検家。

古都フェスには迷路のような街がのこる。

国名略号………MAR
言　語………アラビア語、ベルベル語、フランス語
通　貨………モロッコ・ディルハム
日本への輸出品…マグロ、タコ、コバルト
国のようす………アフリカ大陸の北西端にある王政の国。アトラス山脈が国土を横断する。産業はリン鉱石の鉱業とオリーブなどの農業が中心。となりの西サハラの領有権を主張して、占領している。

モンゴル

かつて草原に大帝国を築いた
遊牧民の子孫たちの国

国旗の意味
左右の赤は進歩と繁栄を、中央の青は草原の青空をあらわす。左の黄色い文様は「ソヨンボ」とよばれ、炎、太陽、月などがえがかれ、さまざまな意味がこめられている。

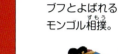
アジア
日本からの距離
3010km

国名と英名
モンゴル国
Mongolia

首都
ウランバートル

面積
156万4000km²
日本の4.1倍くらい

人口
328万人

ブフとよばれる
モンゴル相撲。

遊牧ではおもに
羊を飼育する。

国名略号……………MGL
言　　語……………モンゴル語、カザフ語
通　　貨……………トグログ
日本への輸出品……鉱物（ほたる石）
国のようす…………13世紀にチンギス・ハーンが巨大なモンゴル帝国を築いた。国土の大部分が草原で、古くから遊牧がさかん。近年は地下資源の開発が進む。日本の大相撲に多くの力士を出している。

モンテネグロ

国名は「黒い山」を意味し、
文化的にはセルビアと近い国

国旗の意味
中央の紋章は20世紀の初頭に存在したモンテネグロ王国の紋章に由来。かつてのビザンチン帝国のシンボルである双頭のワシをもとにしている。

ヨーロッパ
日本からの距離
9450km

国名と英名
モンテネグロ
Montenegro

首都
ポドゴリツァ

面積
1万4000km²
東京都の6倍くらい

人口
63万人

通貨ユーロを独自に導入。
経済の安定をはかった。

中世の面影をのこす
世界遺産コトルの街。

国名略号……………MNE
言　　語……………モンテネグロ語、セルビア語
通　　貨……………ユーロ
日本への輸出品……車両部品
国のようす…………2006年にセルビアから分離・独立。スラブ系の民族で、モンテネグロ語とセルビア語は方言程度のちがいしかない。バルカン半島の山やまとアドリア海の美しい景観を生かした観光業がさかん。

ヨルダン

地球上でいちばん低い土地がある国。
国王はイスラム教をひらいたムハンマドの子孫

日本からの距離 9100km アジア

国名と英名
ヨルダン・ハシェミット王国
Jordan

首都
アンマン

面積
8万9000km²
北海道の1.1倍くらい

人口
1020万人

国旗の意味
黒・白・緑の3色はかつてアラブ人がつくった3つの王朝をあらわす。赤はアラブの血を、白い星はイスラム教の聖典「コーラン」の一節への敬意をあらわす。

乾燥地を流れるヨルダン川上流。

ペトラ遺跡

国名略号……JOR
言　　語……アラビア語
通　　貨……ヨルダン・ディナール
日本への輸出品……白金、化学肥料、リン鉱石
国のようす……ハーシム家の王国。パレスチナから逃れてきた難民が人口の7割以上をしめる。最低地の死海の湖面は海抜マイナス400m以下。シェール・オイルの存在が確認、注目されている。

ラオス

東南アジア最大の大河・メコン川が
国土を南北に流れる内陸国

日本からの距離 4140km アジア

国名と英名
ラオス人民民主共和国
Laos

首都
ビエンチャン

面積
23万7000km²
日本の6割くらい

人口
728万人

国旗の意味
赤は独立戦争で流された血を、青は豊かな国土とメコン川の流れを、中央の白丸はメコン川にのぼる満月と国の明るい未来をあらわす。

タート・ルアン仏塔

メコン川の難所、本流にかかるコーンパペンの滝。

国名略号……LAO
言　　語……ラオス語
通　　貨……キープ
日本への輸出品……コーヒー、木炭、はきもの
国のようす……インドシナ半島の内陸国で、経済的に遅れていたが、近年は中国の活発な進出で発展。国を南北に流れるメコン川は交通の動脈で、漁業や農業、発電などにも利用されている。

ラトビア

バルト海に面するバルト三国（ほかエストニア、リトアニア）のひとつ。ロシア人も多くすむ

国名と英名
ラトビア共和国
Latvia

首都
リガ

面積
6万5000k㎡
九州の1.8倍くらい

人口
189万人

国旗の意味

えび茶色は血を流しても国を守る決意、白は国民の栄誉と信頼をあらわす。13世紀の戦争で負傷した兵士をくるんだ布についた血に由来する。

ギルド・ハウス
近年再建された、ゴシック建築の商館。

リガの古い街並み。ドイツ風の建築がのこる。

国名略号……LAT
言　　語……ラトビア語
通　　貨……ユーロ
日本への輸出品……木材、泥炭、ベリー類
国のようす……中世にドイツの騎士団によって開拓された。1991年にソ連から独立。2004年にEUに加盟し、2014年にはユーロを導入。人口の3割近くがロシア人だが、無国籍扱いになっている。

リトアニア

日本の外交官杉原千畝がユダヤ人を救ったバルト三国でいちばん南の国

国名と英名
リトアニア共和国
Lithuania

首都
ビリニュス

面積
6万5000k㎡
九州の1.8倍くらい

人口
272万人

国旗の意味

黄は明るい太陽と国民の健康、緑は豊かな森林と資源、あふれる希望、赤は祖国の独立と自由のために戦った国民の勇気と流された血をあらわす。

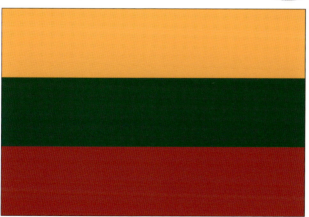

杉原千畝
第二次世界大戦中、国内の多くのユダヤ人を海外に逃し、命を救った。

ビリニュスにのこる中世の城門で、上には教会がたつ。

国名略号……LTU
言　　語……リトアニア語
通　　貨……ユーロ
日本への輸出品……試薬、医療機器
国のようす……中世にリトアニア大公国としてさかえた。1991年にソ連から独立。2004年にEUに加盟し、2015年にはユーロを導入。それまでのロシア中心の経済から、EU中心の経済に転換。

リビア

42年間続いた独裁政権が倒された、アフリカ有数の産油国

アフリカ
日本からの距離
1万600km

国名と英名
リビア
Libya

首都
トリポリ

面積
167万6000km²
日本の4.4倍くらい

人口
687万人

国旗の意味
赤は力、黒はイスラム教徒の戦い、緑は緑豊かな大地へのあこがれ、白は国民の行動をあらわす。中央の三日月と星はイスラム教のシンボル。

円形劇場
北アフリカ各地に、ローマ遺跡が残る。

2011年、反政府勢力が勝利。

- 国名略号……LBA（エルビーエー）
- 言　語……アラビア語
- 通　貨……リビア・ディナール
- 日本への輸出品……石油
- 国のようす……アフリカ有数の産油国。42年間のカダフィ独裁体制が、2011年の反政府運動「アラブの春」で崩壊。その後、新政権となるが、イスラム武装勢力が進出して、国内は内戦状態に。

リヒテンシュタイン

スイスとオーストリアにはさまれた山間に18世紀からはじまったミニ国家

ヨーロッパ
日本からの距離
9580km

国名と英名
リヒテンシュタイン公国
Liechtenstein

首都
ファドーツ

面積
160km²
淡路島の3割くらい

人口
4万人

国旗の意味
青は青空、赤はあたたかな暖炉の火をあらわす。金色の王冠は、国をおさめるリヒテンシュタイン家と国民とがひとつに結ばれていることをあらわす。

ファドーツ城
国のシンボル的存在。

ハンス・アダム2世
侯爵

- 国名略号……LIE（エルアイイー）
- 言　語……ドイツ語
- 通　貨……スイス・フラン
- 日本への輸出品……とくになし
- 国のようす……永世中立国を宣言している侯爵家の国。軍隊は1868年に廃止された。税金の安いタックス・ヘイブン（低課税地域）のひとつで、登記している会社の数が人口よりも多い。

リベリア

アメリカの解放奴隷がつくったアフリカ初の共和国

国旗の意味

アメリカで解放された奴隷が建国した国なので、アメリカ国旗に似ている。11本の紅白の帯は独立宣言に署名した11人を、白い星はアフリカ初の共和国の誇りをあらわす。

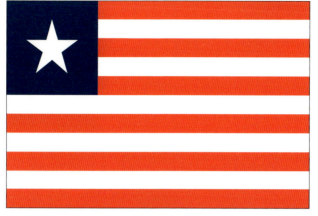

アフリカ
日本からの距離
1万4430km

国名と英名
リベリア共和国
Liberia

首都
モンロビア

面積
11万1000km²
北海道の1.3倍くらい

人口
506万人

国連による平和維持活動は続いている。

税を安くして、多くの船籍を集めたのは、リベリアが最初。

国名略号 …… LBR
言語 …… 英語、各部族語
通貨 …… リベリア・ドル
日本への輸出品 …… 銅
国のようす …… アメリカの解放奴隷の子孫、アメリコ・ライベリアンとよばれる人びとが国を支配してきたが、1990年代の内戦で荒廃。パナマに次いで船籍を保有し、タックス・ヘイブン（低課税地域）のひとつ。

ルーマニア

国名は「ローマ人の国」。むかしローマ帝国が支配していた

国旗の意味

3色はこの国の3つの地域をあらわすほか、青は空、黄は穀物や鉱物資源、赤は独立への戦いや国民の勇気をあらわす。

ヨーロッパ
日本からの距離
8900km

国名と英名
ルーマニア
Romania

首都
ブカレスト

面積
23万8000km²
日本の6割くらい

人口
1924万人

串刺し公と恐れられた、15世紀のワラキア公ヴラド。

ブラン城
中世の城がいくつも残る。

国名略号 …… ROU
言語 …… ルーマニア語、ハンガリー語
通貨 …… レイ
日本への輸出品 …… タバコ類、木材、木工品
国のようす …… 古代にはローマ帝国に支配された地。ルーマニア語はイタリア語やフランス語と近い。1989年にチャウシェスク独裁政権が革命で倒れ、2007年にEUに加盟した。

ルクセンブルク

フランス、ドイツ、ベルギーにはさまれた、
世界最高レベルの豊かな国

ヨーロッパ
日本からの距離
9510km

国名と英名
ルクセンブルク大公国
Luxembourg

首都
ルクセンブルク

面積
2586km²
東京都の1.2倍くらい

人口
63万人

国旗の意味
オランダの国旗に似ているが、青の部分は水色に近い。ルクセンブルク大公家の家紋「青と白のしま模様の地に赤いライオン」が由来になっている。

労働者の4割以上が、国外からの通勤者。

鉄鋼業が経済成長の原動力。

国名略号………… LUX
言　　語………… ルクセンブルク語、フランス語、ドイツ語
通　　貨………… ユーロ
日本への輸出品… 不織布
国のようす……… 第二次世界大戦後に鉄鋼業などの大企業を誘致して経済が発展。その後は金融業へと転換して、1人当たりのGDP（国内総生産）で世界一になるなど、最も豊かな国のひとつ。

ルワンダ

大虐殺の悲劇から復興し、
アフリカ有数の経済発展を続ける

アフリカ
日本からの距離
1万1910km

国名と英名
ルワンダ共和国
Rwanda

首都
キガリ

面積
2万6000km²
九州の7割くらい

人口
1295万人

国旗の意味
青は空と幸福と平和、黄は経済と国力の発展、緑は豊かな資源と繁栄への願いをあらわし、黄色の太陽は国民を団結へと導く希望の光、無知との戦いを象徴している。

大虐殺から20年たったセレモニー。

国土は狭く、山の斜面も農地に。

国名略号………… RWA
言　　語………… キニアルワンダ語、英語、フランス語
通　　貨………… ルワンダ・フラン
日本への輸出品… レアメタル、コーヒー
国のようす……… 1994年にツチ族とフツ族の対立による大虐殺がおき、数十万人の死者と大量の難民が発生。その後は難民の帰国などにより経済が復興し、「アフリカの奇跡」ともよばれる急成長をとげている。

レソト

まわりを南アフリカにかこまれた、
「アフリカのスイス」とよばれる高原の国

国旗の意味

青は雨、白は平和、緑は豊かな国土と繁栄をあらわす。中央の黒い帽子はレソト人がかぶる円すい形の麦わら帽子で、バソト帽とよばれる。王国の象徴でもある。

日本からの距離
1万3740km

国名と英名
レソト王国
Lesotho

首都
マセル

面積
3万km²
九州の8割くらい

人口
214万人

国土の多くは山。

バソト帽と名産の鮮やかな織物。

国名略号……LES
言　　語……英語、ソト語
通　　貨……ロチ
日本への輸出品……ダイヤモンド、衣類
国のようす……農業と繊維製品の加工がおもな産業だが、南アフリカへの出稼ぎも多く、その人たちによる送金が国をささえている。近年は高原の美しい景観を生かした観光業にも力を入れている。

レバノン

中東で最もキリスト教徒の割合が高く、
国内の政治は不安定

国旗の意味

赤は国民の勇気とぎせい、白は雪をいただいたレバノン山と平和をあらわす。中央には国を代表する樹木で、不滅をあらわすシンボルでもあるレバノン杉がえがかれている。

日本からの距離
9000km

国名と英名
レバノン共和国
Lebanon

首都
ベイルート

面積
1万km²
東京都の4.6倍くらい

人口
683万人

「中東のパリ」ともいわれた、ベイルートの街。

内陸にはレバノン山脈と高原が広がる。

国名略号……LBN
言　　語……アラビア語
通　　貨……レバノン・ポンド
日本への輸出品……銅
国のようす……人口の約4割がキリスト教徒で、残りの大部分がイスラム教徒。宗教の対立により1975年にはじまった内戦にはイスラエルやシリアなどが介入した。内戦が終わった後も政治は不安定。

ロシア

かつての超大国、ソビエト連邦の中心国。
現在も周辺国に大きな影響力をもつ

ヨーロッパ
日本からの距離
7500km

国名と英名
ロシア連邦
Russia

首都
モスクワ

面積
1709万8000km²
日本の45倍くらい

人口
1億4593万人

国旗の意味

18世紀にピョートル大帝がオランダ国旗をもとに考案した旗で、白はベラルーシ人、青はウクライナ人、赤はロシア人をあらわすとされる。この3色は「汎スラブ色」ともよばれる。

ロシア語で、やあとあいさつ。
ПРИВЕТ!!
プリヴィエット

モスクワの
聖ワシリイ大聖堂

国名略号……RUS
言　　語……ロシア語
通　　貨……ルーブル
日本への輸出品……天然ガス、石油、石炭、パラジウム
国のようす……世界最大の国土をもつ。ソ連時代にはアメリカときびしく対立した。1991年のソ連崩壊後に混乱したが、石油や天然ガスの輸出で経済回復。大国としての国際的地位を取り戻している。

おもな国際組織の旗

（2022年1月現在）

国際連合（国連）
UN
United Nations

現在193カ国が加入する国際組織。国際平和・安全の維持、国家間の問題解決のための協力などを目的とする。旗は世界平和をイメージし、平和の象徴であるオリーブで世界地図をかこんでいる。

ヨーロッパ連合
EU
European Union

ユーロの導入をはじめとするヨーロッパ圏の政治経済面での統合をめざす地域統合体。現在27カ国が加盟。旗には青空に12個の星が円状にえがかれ、ヨーロッパ全体の連帯をあらわしている。

東南アジア諸国連合
ASEAN
Association of South-East Asian Nations

東南アジア10カ国が加盟する地域協力機構。旗は、加盟10カ国の友愛、連帯、一致団結をあらわす稲穂と円を中央に、東南アジアの地域色が配色されている。

アラブ連盟
AL
League of Arab States

アラブ諸国間の連携を強化し、独立と主権、利益を守るために活動する国際組織。現在22の国と組織が加盟。旗は、アラブ統一をかかげ、イスラムのシンボルカラーである緑に月桂樹の葉を配している。

アフリカ連合
AU
African Union

アフリカの55カ国・地域が加盟。地域統合や協力の中核として機能・役割を拡大し、紛争解決などに活動する。モロッコが非加盟で、西サハラが加盟している。

世界地図でみる言葉と宗教

世界で最も使われている言語は人口の多い中国語、最も通じるのは英語

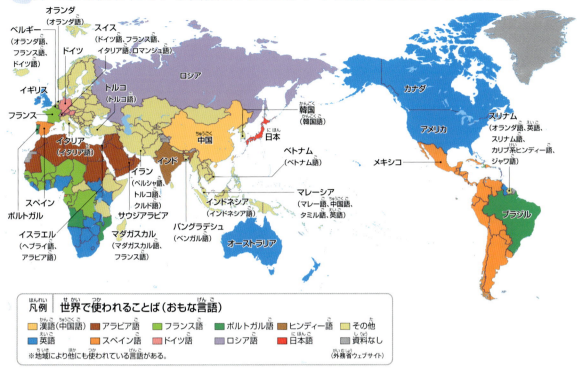

国や民族と強く結びついている宗教もあり、時には紛争のもとになることも

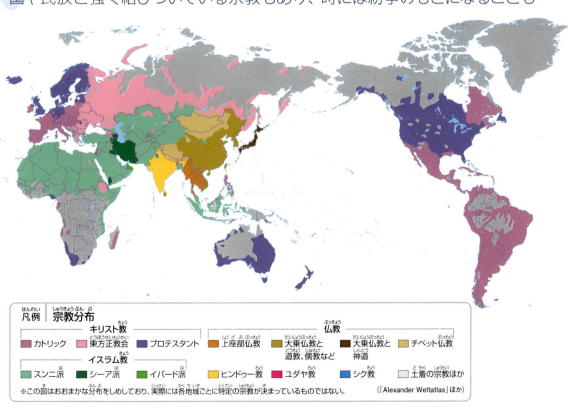

スポーツに登場する「地域」

FIFA（国際サッカー連盟）

211の国・地域が加盟する最大規模の組織

FIFA（国際サッカー連盟）は、サッカーの国際的な統括組織である。FIFAの傘下には6つの大陸のサッカー連盟があり、現在、それぞれの大陸連盟の211の国と地域がFIFAに加盟している。スポーツの組織としては最大規模で、オリンピックと同様に4年に1度開催され、世界的なスポーツイベントであるFIFAワールドカップ・FIFA女子ワールドカップを主催している。

UEFA（欧州サッカー連盟）
加盟数：55　本部：スイス
ワールドカップ出場枠：13

ヨーロッパ諸国を中心に、西アジアや中央アジアの一部の国が加盟。FIFAランキングの10位圏内に多くの加盟国がランクイン。

AFC（アジアサッカー連盟）
加盟数：46　本部：マレーシア
ワールドカップ出場枠：4.5

アジア諸国のほか、中東、旧ソ連諸国の一部、オーストラリアなど、最も広い地域が加盟する大陸連盟。

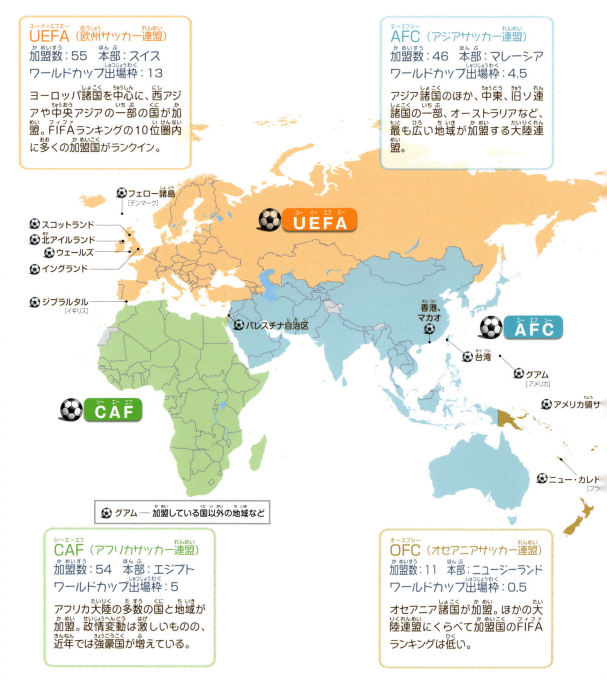

CAF（アフリカサッカー連盟）
加盟数：54　本部：エジプト
ワールドカップ出場枠：5

アフリカ大陸の多数の国と地域が加盟。政情変動は激しいものの、近年では強豪国が増えている。

OFC（オセアニアサッカー連盟）
加盟数：11　本部：ニュージーランド
ワールドカップ出場枠：0.5

オセアニア諸国が加盟。ほかの大陸連盟にくらべて加盟国のFIFAランキングは低い。

オリンピック

206の国・地域が加盟するスポーツの祭典

夏季大会と冬季大会を主催するIOC（国際オリンピック委員会）には、195カ国のほか、自治領や特別行政区など11地域が加盟している。

国以外の加盟地域

アメリカ領ヴァージン諸島、アメリカ領サモア、アルバ、イギリス領ヴァージン諸島、グアム、ケイマン諸島、台湾、バミューダ諸島、パレスチナ自治区、プエルト・リコ、香港

CONCACAF（北中アメリカ・カリブ海サッカー連盟）

加盟数：35　本部：アメリカ
ワールドカップ出場枠：3.5

北中アメリカ及びカリブ海諸国のほか、南アメリカの一部の国が加盟。アメリカとメキシコのレベルが突出。

CONMEBOL（南アメリカサッカー連盟）

加盟数：10　本部：パラグアイ
ワールドカップ出場枠：4.5

一部の国をのぞいた南アメリカ10カ国が加盟。加盟数は少ないが、強豪国ぞろいの地域である。

（2022年1月現在）

パラリンピック

障がいがあるアスリートたちの国際大会

オリンピックのあとに同じ都市で開催される「もう一つの（Parallel）+オリンピック（Olympic）」。ロンドン大会では過去最高の164の国と地域が参加した。

夏季パラリンピック参加国数の推移

第12回	アテネ大会	135カ国・地域
第13回	北京大会	146カ国・地域
第14回	ロンドン大会	164カ国・地域
第15回	リオデジャネイロ大会	159カ国・地域
第16回	東京大会	162カ国・地域

FIFAに国以外で加盟している地域（⚽）

アメリカ領ヴァージン諸島、アメリカ領サモア、アルバ、アンギラ、イギリスの4協会（イングランド、ウェールズ、北アイルランド、スコットランド）、イギリス領ヴァージン諸島、キュラソー島、グアム、ケイマン諸島、ジブラルタル、タークス・カイコス諸島、台湾、タヒチ、ニュー・カレドニア、バミューダ諸島、パレスチナ自治区、プエルト・リコ、フェロー諸島、フランス領ギアナ、香港、マカオ、モントセラト

FIFAランキング

FIFAが毎月発表している各国、地域のサッカーのレベルを測る目安。いままで1位になったことがある国は右の8カ国しかない。

アルゼンチン
イタリア
オランダ
スペイン
ドイツ
ブラジル
フランス
ベルギー

国ぐにの独立の歴史

二度の大戦、東西冷戦をへて、世界の地域が連携・協力する時代に

18〜19世紀にヨーロッパ諸国による植民地支配が拡大したが、20世紀におこった二度の大戦をきっかけとして、アジアやアフリカで多くの国が独立した。国連の成立、アメリカとソ連による東西冷戦をへて、現代では世界のそれぞれの地域で経済的、政治的な協力を強化する時代となっている。

アジア、アフリカ

第二次世界大戦の終戦後、アジア、アフリカの植民地が独立

第二次世界大戦後、植民地支配からの独立運動が高まり、多くの国が独立していく。しかし、民族の対立や政治的に安定しないなどで紛争が続き、独立に長い年月がかかった国もある。
また、世界の多くの地域で言葉や文化など、植民地時代の影響を今も強く残している。

南北アメリカ

一足先に新大陸で独立がはじまる

18世紀前半まで、北アメリカはイギリスやフランスに、南アメリカはスペイン、ポルトガルに支配されていた。18世紀後半になり、アメリカが独立をはたす。その後、スペイン、ポルトガル本国が弱体化すると、19世紀にかけて多くの国が独立した。

●第二次世界大戦のころの世界

●19世紀前半の南北アメリカ

ヨーロッパ
東西冷戦から EU 統合へ

第二次世界大戦後、ヨーロッパの西側の国ぐにと、ソビエト連邦などの社会主義の国ぐに（東側）の間に大きな対立ができた。これを東西冷戦とよんでいる。

しかし、経済的な行き詰まりなどから対立はくずれ、東西ドイツの統合やソビエト連邦が崩壊した。国ぐには急速に変化し、やがて、現在の EU（ヨーロッパ連合）へと発展した。

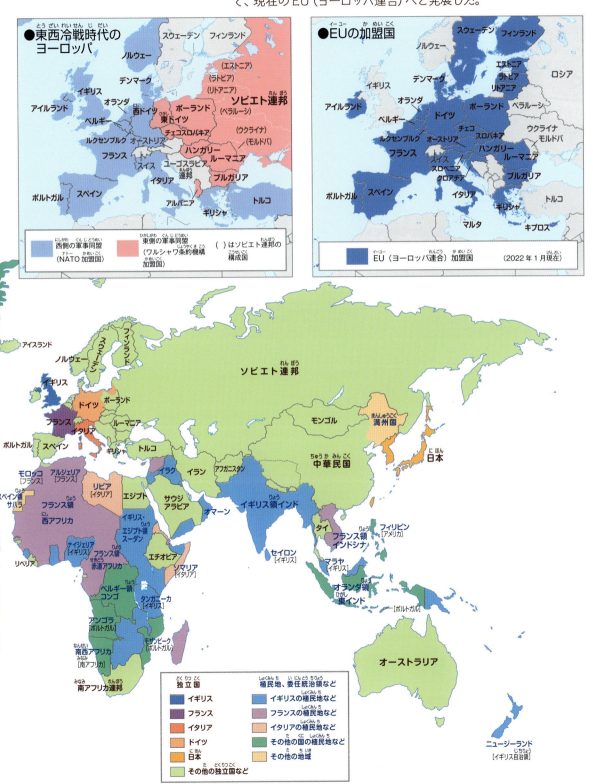

さくいん 国の略号

オリンピックで使われるIOC加盟国の略号を基本に、国・地域をアルファベット順にならべました（IOCに加盟していない国はISOの略号を使用）。国や、国旗を紹介したページをのせています。なお、この本では地域の旗は紹介していないため、地域の「ページ」部分は空欄になっています。

略号	読み	国名	地域	ページ
A				
AFG	エーエフジー	アフガニスタン	アジア	19
ALB	エーエルビー	アルバニア	ヨーロッパ	22
ALG	エーエルジー	アルジェリア	アフリカ	21
AND	エーエヌディー	アンドラ	ヨーロッパ	24
ANG	エーエヌジー	アンゴラ	アフリカ	23
ANT	エーエヌティー	アンティグア・バーブーダ	北アメリカ	23
ARG	エーアールジー	アルゼンチン	南アメリカ	21
ARM	エーアールエム	アルメニア	アジア	22
ARU	エーアールユー	アルバ（オランダ領）	北アメリカ	
ASA	エーエスエー	アメリカ領サモア	オセアニア	
AUS	エーユーエス	オーストラリア	オセアニア	34
AUT	エーユーティー	オーストリア	ヨーロッパ	34
AZE	エーゼットイー	アゼルバイジャン	アジア	19
B				
BAH	ビーエーエイチ	バハマ	北アメリカ	86
BAN	ビーエーエヌ	バングラデシュ	アジア	89
BAR	ビーエーアール	バルバドス	北アメリカ	88
BDI	ビーディーアイ	ブルンジ	アフリカ	94
BEL	ビーイーエル	ベルギー	ヨーロッパ	98
BEN	ビーイーエヌ	ベナン	アフリカ	95
BER	ビーイーアール	バミューダ諸島（イギリス領）	北アメリカ	
BHU	ビーエイチユー	ブータン	アジア	91
BIH	ビーアイエイチ	ボスニア・ヘルツェゴビナ	ヨーロッパ	99
BIZ	ビーアイゼット	ベリーズ	北アメリカ	97
BLR	ビーエルアール	ベラルーシ	ヨーロッパ	96
BOL	ビーオーエル	ボリビア	南アメリカ	100
BOT	ビーオーティー	ボツワナ	アフリカ	99
BRA	ビーアールエー	ブラジル	南アメリカ	92
BRN	ビーアールエヌ	バーレーン	アジア	83
BRU	ビーアールユー	ブルネイ	アジア	94
BUL	ビーユーエル	ブルガリア	ヨーロッパ	93
BUR	ビーユーアール	ブルキナファソ	アフリカ	93
C				
CAF	シーエーエフ	中央アフリカ	アフリカ	70
CAM	シーエーエム	カンボジア	アジア	41
CAN	シーエーエヌ	カナダ	北アメリカ	38
CAY	シーエーワイ	ケイマン諸島（イギリス領）	北アメリカ	
CGO	シージーオー	コンゴ	アフリカ	51
CHA	シーエイチエー	チャド	アフリカ	70
CHI	シーエイチアイ	チリ	南アメリカ	72
CHN	シーエイチエヌ	中国	アジア	71
CIV	シーアイブイ	コートジボワール	アフリカ	49
CMR	シーエムアール	カメルーン	アフリカ	39
COD	シーオーディー	コンゴ民主共和国	アフリカ	52
COK	シーオーケー	クック諸島	オセアニア	47
COL	シーオーエル	コロンビア	南アメリカ	51
COM	シーオーエム	コモロ	アフリカ	50
CPV	シーピーブイ	カーボベルデ	アフリカ	36
CRC	シーアールシー	コスタリカ	北アメリカ	49
CRO	シーアールオー	クロアチア	ヨーロッパ	48
CUB	シーユービー	キューバ	北アメリカ	44
CYP	シーワイピー	キプロス	アジア	43
CZE	シーゼットイー	チェコ	ヨーロッパ	69
D				
DEN	ディーイーエヌ	デンマーク	ヨーロッパ	73
DJI	ディージェーアイ	ジブチ	アフリカ	56
DMA	ディーエムエー	ドミニカ国	北アメリカ	75
DOM	ディーオーエム	ドミニカ共和国	北アメリカ	74
E				
ECU	イーシーユー	エクアドル	南アメリカ	30
EGY	イージーワイ	エジプト	アフリカ	31
ERI	イーアールアイ	エリトリア	アフリカ	33
ESA	イーエスエー	エルサルバドル	北アメリカ	33
ESP	イーエスピー	スペイン	ヨーロッパ	60
EST	イーエスティー	エストニア	ヨーロッパ	31
ETH	イーティーエイチ	エチオピア	アフリカ	32
F				
FIJ	エフアイジェー	フィジー	オセアニア	90
FIN	エフアイエヌ	フィンランド	ヨーロッパ	91
FRA	エフアールエー	フランス	ヨーロッパ	92
FSM	エフエスエム	ミクロネシア連邦	オセアニア	105
G				
GAB	ジーエービー	ガボン	アフリカ	39
GAM	ジーエーエム	ガンビア	アフリカ	40
GBR	ジービーアール	イギリス	ヨーロッパ	25
GBS	ジービーエス	ギニアビサウ	アフリカ	43
GEO	ジーイーオー	ジョージア	アジア	57
GEQ	ジーイーキュー	赤道ギニア	アフリカ	63
GER	ジーイーアール	ドイツ	ヨーロッパ	73
GHA	ジーエイチエー	ガーナ	アフリカ	36
GRE	ジーアールイー	ギリシャ	ヨーロッパ	44
GRN	ジーアールエヌ	グレナダ	北アメリカ	47
GUA	ジーユーエー	グアテマラ	北アメリカ	46
GUI	ジーユーアイ	ギニア	アフリカ	42
GUM	ジーユーエム	グアム（アメリカ領）	オセアニア	
GUY	ジーユーワイ	ガイアナ	南アメリカ	37
H				
HAI	エイチエーアイ	ハイチ	北アメリカ	83
HKG	エイチケージー	香港（中国）	アジア	
HON	エイチオーエヌ	ホンジュラス	北アメリカ	101
HUN	エイチユーエヌ	ハンガリー	ヨーロッパ	88
I				
INA	アイエヌエー	インドネシア	アジア	28
IND	アイエヌディー	インド	アジア	27
IRI	アイアールアイ	イラン	アジア	27
IRL	アイアールエル	アイルランド	ヨーロッパ	18
IRQ	アイアールキュー	イラク	アジア	26
ISL	アイエスエル	アイスランド	ヨーロッパ	18
ISR	アイエスアール	イスラエル	アジア	25
ISV	アイエスブイ	ヴァージン諸島（アメリカ領）	北アメリカ	
ITA	アイティーエー	イタリア	ヨーロッパ	26
IVB	アイブイビー	ヴァージン諸島（イギリス領）	北アメリカ	
J				
JAM	ジェーエーエム	ジャマイカ	北アメリカ	56
JOR	ジェーオーアール	ヨルダン	アジア	112
JPN	ジェーピーエヌ	日本	アジア	81
K				
KAZ	ケーエーゼット	カザフスタン	アジア	37

略号	読み	国名	地域	ページ
KEN	ケーイーエヌ	ケニア	アフリカ	48
KGZ	ケージーゼット	キルギス	アジア	45
KIR	ケーアイアール	キリバス	オセアニア	45
KOR	ケーオーアール	韓国	アジア	40
KOS	ケーオーエス	コソボ	ヨーロッパ	50
KSA	ケーエスエー	サウジアラビア	アジア	53
KUW	ケーユーダブリュ	クウェート	アジア	46

L

略号	読み	国名	地域	ページ
LAO	エルエーオー	ラオス	アジア	112
LAT	エルエーティー	ラトビア	ヨーロッパ	113
LBA	エルビーエー	リビア	アフリカ	114
LBN	エルビーエヌ	レバノン	アジア	117
LBR	エルビーアール	リベリア	アフリカ	115
LCA	エルシーエー	セントルシア	北アメリカ	66
LES	エルイーエス	レソト	アフリカ	117
LIE	エルアイイー	リヒテンシュタイン	ヨーロッパ	114
LTU	エルティーユー	リトアニア	ヨーロッパ	113
LUX	エルユーエックス	ルクセンブルク	ヨーロッパ	116

M

略号	読み	国名	地域	ページ
MAD	エムエーディー	マダガスカル	アフリカ	102
MAR	エムエーアール	モロッコ	アフリカ	110
MAS	エムエーエス	マレーシア	アジア	104
MAW	エムエーダブリュ	マラウイ	アフリカ	103
MDA	エムディーエー	モルドバ	ヨーロッパ	110
MDV	エムディーブイ	モルディブ	アジア	109
MEX	エムイーエックス	メキシコ	北アメリカ	107
MGL	エムジーエル	モンゴル	アジア	111
MHL	エムエイチエル	マーシャル諸島	オセアニア	102
MKD	エムケーディー	北マケドニア	ヨーロッパ	42
MLI	エムエルアイ	マリ	アフリカ	103
MLT	エムエルティー	マルタ	ヨーロッパ	104
MNE	エムエヌイー	モンテネグロ	ヨーロッパ	111
MON	エムオーエヌ	モナコ	ヨーロッパ	109
MOZ	エムオーゼット	モザンビーク	アフリカ	108
MRI	エムアールアイ	モーリシャス	アフリカ	107
MTN	エムティーエヌ	モーリタニア	アフリカ	108
MYA	エムワイエー	ミャンマー	アジア	106

N

略号	読み	国名	地域	ページ
NAM	エヌエーエム	ナミビア	アフリカ	79
NCA	エヌシーエー	ニカラグア	北アメリカ	80
NED	エヌイーディー	オランダ	ヨーロッパ	35
NEP	エヌイーピー	ネパール	アジア	82
NGR	エヌジーアール	ナイジェリア	アフリカ	78
NIG	エヌアイジー	ニジェール	アフリカ	80
NIU	エヌアイユー	ニウエ	オセアニア	79
NOR	エヌオーアール	ノルウェー	ヨーロッパ	82
NRU	エヌアールユー	ナウル	オセアニア	78
NZL	エヌゼットエル	ニュージーランド	オセアニア	81

O

略号	読み	国名	地域	ページ
OMA	オーエムエー	オマーン	アジア	35

P

略号	読み	国名	地域	ページ
PAK	ピーエーケー	パキスタン	アジア	84
PAN	ピーエーエヌ	パナマ	北アメリカ	85
PAR	ピーエーアール	パラグアイ	南アメリカ	87
PER	ピーイーアール	ペルー	南アメリカ	97
PHI	ピーエイチアイ	フィリピン	アジア	90
PLE	ピーエルイー	パレスチナ自治区	アジア	
PLW	ピーエルダブリュ	パラオ	オセアニア	87
PNG	ピーエヌジー	パプアニューギニア	オセアニア	86
POL	ピーオーエル	ポーランド	ヨーロッパ	98
POR	ピーオーアール	ポルトガル	ヨーロッパ	100
PRK	ピーアールケー	北朝鮮	アジア	41

略号	読み	国名	地域	ページ
PUR	ピーユーアール	プエルト・リコ（アメリカ領）	北アメリカ	

Q

略号	読み	国名	地域	ページ
QAT	キューエーティー	カタール	アジア	38

R

略号	読み	国名	地域	ページ
ROU	アールオーユー	ルーマニア	ヨーロッパ	115
RSA	アールエスエー	南アフリカ	アフリカ	105
RUS	アールユーエス	ロシア	ヨーロッパ	118
RWA	アールダブリュエー	ルワンダ	アフリカ	116

S

略号	読み	国名	地域	ページ
SAM	エスエーエム	サモア	オセアニア	53
SEN	エスイーエヌ	セネガル	アフリカ	64
SEY	エスイーワイ	セーシェル	アフリカ	63
SGP	エスジーピー	シンガポール	アジア	58
SKN	エスケーエヌ	セントクリストファー・ネービス	北アメリカ	65
SLE	エスエルイー	シエラレオネ	アフリカ	55
SLO	エスエルオー	スロベニア	ヨーロッパ	62
SMR	エスエムアール	サンマリノ	ヨーロッパ	55
SOL	エスオーエル	ソロモン諸島	オセアニア	67
SOM	エスオーエム	ソマリア	アフリカ	66
SRB	エスアールビー	セルビア	ヨーロッパ	64
SRI	エスアールアイ	スリランカ	アジア	61
SSD	エスエスディー	南スーダン	アフリカ	106
STP	エスティーピー	サントメ・プリンシペ	アフリカ	54
SUD	エスユーディー	スーダン	アフリカ	60
SUI	エスユーアイ	スイス	ヨーロッパ	59
SUR	エスユーアール	スリナム	南アメリカ	61
SVK	エスブイケー	スロバキア	ヨーロッパ	62
SWE	エスダブリュイー	スウェーデン	ヨーロッパ	59
SWZ	エスダブリュゼット	エスワティニ	アフリカ	32
SYR	エスワイアール	シリア	アジア	57

T

略号	読み	国名	地域	ページ
TAN	ティーエーエヌ	タンザニア	アフリカ	69
TGA	ティージーエー	トンガ	オセアニア	77
THA	ティーエイチエー	タイ	アジア	68
TJK	ティージェーケー	タジキスタン	アジア	68
TKM	ティーケーエム	トルクメニスタン	アジア	76
TLS	ティーエルエス	東ティモール	アジア	89
TOG	ティーオージー	トーゴ	アフリカ	74
TPE	ティーピーイー	タイワン 台湾	アジア	
TTO	ティーティーオー	トリニダード・トバゴ	北アメリカ	75
TUN	ティーユーエヌ	チュニジア	アフリカ	71
TUR	ティーユーアール	トルコ	アジア	76
TUV	ティーユーブイ	ツバル	オセアニア	72

U

略号	読み	国名	地域	ページ
UAE	ユーエーイー	アラブ首長国連邦	アジア	20
UGA	ユージーエー	ウガンダ	アフリカ	28
UKR	ユーケーアール	ウクライナ	ヨーロッパ	29
URU	ユーアールユー	ウルグアイ	南アメリカ	30
USA	ユーエスエー	アメリカ	北アメリカ	20
UZB	ユーゼットビー	ウズベキスタン	アジア	29

V

略号	読み	国名	地域	ページ
VAN	ブイエーエヌ	バヌアツ	オセアニア	85
VAT	ブイエーティー	バチカン市国	ヨーロッパ	84
VEN	ブイイーエヌ	ベネズエラ	南アメリカ	96
VIE	ブイアイイー	ベトナム	アジア	95
VIN	ブイアイエヌ	セントビンセント及びグレナディーン諸島	北アメリカ	65

Y

略号	読み	国名	地域	ページ
YEM	ワイイーエム	イエメン	アジア	24

Z

略号	読み	国名	地域	ページ
ZAM	ゼットエーエム	ザンビア	アフリカ	54
ZIM	ゼットアイエム	ジンバブエ	アフリカ	58

さくいん 地域別国名

このさくいんでは、世界の国を、アジア・アフリカ・オセアニア・北アメリカ・南アメリカ・ヨーロッパの地域ごとにアイウエオ順にならべて、国旗を紹介しているページをひけるようにしています。

国名	正式名称	ページ
アジア		
アゼルバイジャン	アゼルバイジャン共和国	19
アフガニスタン	アフガニスタン・イスラム共和国	19
アラブ首長国連邦	アラブ首長国連邦	20
アルメニア	アルメニア共和国	22
イエメン	イエメン共和国	24
イスラエル	イスラエル国	25
イラク	イラク共和国	26
イラン	イラン・イスラム共和国	27
インド	インド	27
インドネシア	インドネシア共和国	28
ウズベキスタン	ウズベキスタン共和国	29
オマーン	オマーン国	35
カザフスタン	カザフスタン共和国	37
カタール	カタール国	38
韓国	大韓民国	40
カンボジア	カンボジア王国	41
北朝鮮	朝鮮民主主義人民共和国	41
キプロス	キプロス共和国	43
キルギス	キルギス共和国	45
クウェート	クウェート国	46
サウジアラビア	サウジアラビア王国	53
ジョージア	ジョージア	57
シリア	シリア・アラブ共和国	57
シンガポール	シンガポール共和国	58
スリランカ	スリランカ民主社会主義共和国	61
タイ	タイ王国	68
タジキスタン	タジキスタン共和国	68
中国	中華人民共和国	71
トルクメニスタン	トルクメニスタン	76
トルコ	トルコ共和国	76
日本	日本国	81
ネパール	ネパール連邦民主共和国	82
バーレーン	バーレーン王国	83
パキスタン	パキスタン・イスラム共和国	84
バングラデシュ	バングラデシュ人民共和国	89
東ティモール	東ティモール民主共和国	89
フィリピン	フィリピン共和国	90
ブータン	ブータン王国	91
ブルネイ	ブルネイ・ダルサラーム国	94
ベトナム	ベトナム社会主義共和国	95
マレーシア	マレーシア	104
ミャンマー	ミャンマー連邦共和国	106
モルディブ	モルディブ共和国	109
モンゴル	モンゴル国	111
ヨルダン	ヨルダン・ハシェミット王国	112
ラオス	ラオス人民民主共和国	112
レバノン	レバノン共和国	117

国名	正式名称	ページ
アフリカ		
アルジェリア	アルジェリア民主人民共和国	21
アンゴラ	アンゴラ共和国	23
ウガンダ	ウガンダ共和国	28
エジプト	エジプト・アラブ共和国	31
エスワティニ	エスワティニ王国	32
エチオピア	エチオピア連邦民主共和国	32
エリトリア	エリトリア国	33
ガーナ	ガーナ共和国	36
カーボベルデ	カーボベルデ共和国	36
ガボン	ガボン共和国	39
カメルーン	カメルーン共和国	39
ガンビア	ガンビア共和国	40
ギニア	ギニア共和国	42
ギニアビサウ	ギニアビサウ共和国	43
ケニア	ケニア共和国	48
コートジボワール	コートジボワール共和国	49
コモロ	コモロ連合	50
コンゴ	コンゴ共和国	51
コンゴ民主共和国	コンゴ民主共和国	52
サントメ・プリンシペ	サントメ・プリンシペ民主共和国	54
ザンビア	ザンビア共和国	54
シエラレオネ	シエラレオネ共和国	55
ジブチ	ジブチ共和国	56
ジンバブエ	ジンバブエ共和国	58
スーダン	スーダン共和国	60
セーシェル	セーシェル共和国	63
赤道ギニア	赤道ギニア共和国	63
セネガル	セネガル共和国	64
ソマリア	ソマリア連邦共和国	66
タンザニア	タンザニア連合共和国	69
チャド	チャド共和国	70
中央アフリカ	中央アフリカ共和国	70
チュニジア	チュニジア共和国	71
トーゴ	トーゴ共和国	74
ナイジェリア	ナイジェリア連邦共和国	78
ナミビア	ナミビア共和国	79
ニジェール	ニジェール共和国	80
ブルキナファソ	ブルキナファソ	93
ブルンジ	ブルンジ共和国	94
ベナン	ベナン共和国	95
ボツワナ	ボツワナ共和国	99
マダガスカル	マダガスカル共和国	102
マラウイ	マラウイ共和国	103
マリ	マリ共和国	103
南アフリカ	南アフリカ共和国	105
南スーダン	南スーダン共和国	106
モーリシャス	モーリシャス共和国	107

国名	正式名称	ページ
モーリタニア	モーリタニア・イスラム共和国	108
モザンビーク	モザンビーク共和国	108
モロッコ	モロッコ王国	110
リビア	リビア	114
リベリア	リベリア共和国	115
ルワンダ	ルワンダ共和国	116
レソト	レソト王国	117

オセアニア

国名	正式名称	ページ
オーストラリア	オーストラリア連邦	34
キリバス	キリバス共和国	45
クック諸島	クック諸島	47
サモア	サモア独立国	53
ソロモン諸島	ソロモン諸島	67
ツバル	ツバル	72
トンガ	トンガ王国	77
ナウル	ナウル共和国	78
ニウエ	ニウエ	79
ニュージーランド	ニュージーランド	81
バヌアツ	バヌアツ共和国	85
パプアニューギニア	パプアニューギニア独立国	86
パラオ	パラオ共和国	87
フィジー	フィジー共和国	90
マーシャル諸島	マーシャル諸島共和国	102
ミクロネシア連邦	ミクロネシア連邦	105

北アメリカ

国名	正式名称	ページ
アメリカ	アメリカ合衆国	20
アンティグア・バーブーダ	アンティグア・バーブーダ	23
エルサルバドル	エルサルバドル共和国	33
カナダ	カナダ	38
キューバ	キューバ共和国	44
グアテマラ	グアテマラ共和国	46
グレナダ	グレナダ	47
コスタリカ	コスタリカ共和国	49
ジャマイカ	ジャマイカ	56
セントクリストファー・ネービス	セントクリストファー・ネービス(セントキッツ・ネービス)	65
セントビンセント及びグレナディーン諸島	セントビンセント及びグレナディーン諸島	65
セントルシア	セントルシア	66
ドミニカ共和国	ドミニカ共和国	74
ドミニカ国	ドミニカ国	75
トリニダード・トバゴ	トリニダード・トバゴ共和国	75
ニカラグア	ニカラグア共和国	80
ハイチ	ハイチ共和国	83
パナマ	パナマ共和国	85
バハマ	バハマ国	86
バルバドス	バルバドス	88
ベリーズ	ベリーズ	97
ホンジュラス	ホンジュラス共和国	101
メキシコ	メキシコ合衆国	107

南アメリカ

国名	正式名称	ページ
アルゼンチン	アルゼンチン共和国	21
ウルグアイ	ウルグアイ東方共和国	30
エクアドル	エクアドル共和国	30
ガイアナ	ガイアナ共和国	37
コロンビア	コロンビア共和国	51
スリナム	スリナム共和国	61
チリ	チリ共和国	72
パラグアイ	パラグアイ共和国	87
ブラジル	ブラジル連邦共和国	92
ベネズエラ	ベネズエラ・ボリバル共和国	96
ペルー	ペルー共和国	97
ボリビア	ボリビア多民族国	100

ヨーロッパ

国名	正式名称	ページ
アイスランド	アイスランド共和国	18
アイルランド	アイルランド	18
アルバニア	アルバニア共和国	22
アンドラ	アンドラ公国	24
イギリス	グレートブリテン及び北アイルランド連合王国(英国)	25
イタリア	イタリア共和国	26
ウクライナ	ウクライナ	29
エストニア	エストニア共和国	31
オーストリア	オーストリア共和国	34
オランダ	オランダ王国	35
北マケドニア	北マケドニア共和国	42
ギリシャ	ギリシャ共和国	44
クロアチア	クロアチア共和国	48
コソボ	コソボ共和国	50
サンマリノ	サンマリノ共和国	55
スイス	スイス連邦	59
スウェーデン	スウェーデン王国	59
スペイン	スペイン王国	60
スロバキア	スロバキア共和国	62
スロベニア	スロベニア共和国	62
セルビア	セルビア共和国	64
チェコ	チェコ共和国	69
デンマーク	デンマーク王国	73
ドイツ	ドイツ連邦共和国	73
ノルウェー	ノルウェー王国	82
バチカン市国	バチカン市国	84
ハンガリー	ハンガリー	88
フィンランド	フィンランド共和国	91
フランス	フランス共和国	92
ブルガリア	ブルガリア共和国	93
ベラルーシ	ベラルーシ共和国	96
ベルギー	ベルギー王国	98
ポーランド	ポーランド共和国	98
ボスニア・ヘルツェゴビナ	ボスニア・ヘルツェゴビナ	99
ポルトガル	ポルトガル共和国	100
マルタ	マルタ共和国	104
モナコ	モナコ公国	109
モルドバ	モルドバ共和国	110
モンテネグロ	モンテネグロ	111
ラトビア	ラトビア共和国	113
リトアニア	リトアニア共和国	113
リヒテンシュタイン	リヒテンシュタイン公国	114
ルーマニア	ルーマニア	115
ルクセンブルク	ルクセンブルク大公国	116
ロシア	ロシア連邦	118

●編集制作

編集・図版製作
　小学館クリエイティブ
　　高橋俊浩

本文デザイン
　山﨑理佐子

イラスト
　いさやまようこ
　いとうゆみ
　緒方愛美（モノグラフ）
　山元かえ

編集・製作協力
　石原弘司
　泉田賢吾
　小川和宏
　川畑英毅
　渡辺真史

　竹内直美

●資料出典

外務省HP・各国HP（2022年1月現在）
United Nations HP
Demographic Yearbook（United Nations）
「世界人口白書2021」（United Nations）
「貿易統計」2021年（財務省）
「理科年表2022」（丸善）
国土地理院資料
「山川 世界史総合図録」（山川出版社）
「世界史年表・地図」（吉川弘文館）

世界がわかる国旗じてん

2024年4月30日発行

編　者　成美堂出版編集部
発行者　深見公子
発行所　成美堂出版
　　　　〒162-8445　東京都新宿区新小川町1-7
　　　　電話(03)5206-8151　FAX(03)5206-8159
印　刷　共同印刷株式会社

©SEIBIDO SHUPPAN 2022　PRINTED IN JAPAN
ISBN978-4-415-33093-8
落丁・乱丁などの不良本はお取り替えします
定価はカバーに表示してあります

- 本書および本書の付属物を無断で複写、複製(コピー)、引用することは著作権法上での例外を除き禁じられています。また代行業者等の第三者に依頼してスキャンやデジタル化することは、たとえ個人や家庭内の利用であっても一切認められておりません。

本書の内容についてのお問い合わせは、
小学館クリエイティブ(電話共通 03-3288-1344)までご連絡ください。
[受付時間：11：00～18：00（土・日・祝・年末年始を除く）]